LES LIVRETS DU VIN

Le vin en 80 questions

D1228079

Le vin en 80 questions

Pierre Casamayor

HACHETTE

S O M M A I R E

Toutes les réponses aux 80 questions que vous vous posez sur le vin

Numéro de question

Des renvois font écho à d'autres questions.

Chapitre

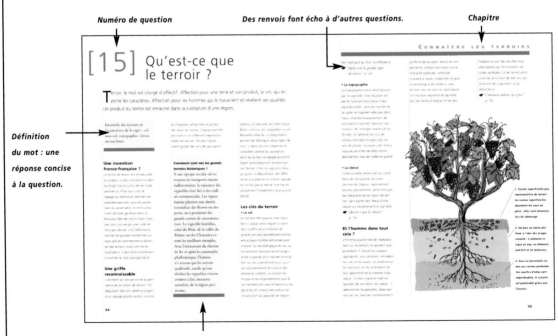

Définition du mot : une réponse concise à la question.

Pour en savoir plus...
Les encadrés approfondissent la thématique.

Découvrir le vin

Il est un voyage dans le temps qui nous ramène aux origines de la civilisation du vin : la lecture de la traduction de textes mésopotamiens écrits en cunéiforme sur des tablettes, trois mille ans av. J.-C., et rassemblés sous le titre de l'*Épopée de Gilgamesh*.

Des douze tablettes de ce qui constitue la première œuvre littéraire de l'humanité, certaines ont été découvertes au XIXᵉ siècle dans les ruines du temple de Nabou, à Ninive, sur le Tigre (actuel Irak). L'épopée, qui relate le long chemin du souverain d'Orouk, Gilgamesh, en quête d'immortalité, contient maintes références à la vigne et au vin (*yaïnou*) : un jardin de pierres précieuses où « la cornaline porte des fruits/pendant en grappes », une cabaretière « qui abreuve de vin les dieux », le rescapé du Déluge qui, comme le fera Noé dans la Bible, plante la vigne et en vinifie le fruit.

En remontant les millénaires, on ne cesse de trouver mention du vin (*oinos* en grec, *vinum* en latin), tantôt civilisateur, comme chez Homère, dans l'*Illiade* et l'*Odyssée*, tantôt salutaire et diététique comme dans les traités de médecine d'Hippocrate et de Galien (IVᵉ siècle av. J.-C. et Iᵉʳ siècle de notre ère). La culture de la vigne apparaît dans toutes les civilisations sédentarisées du bassin méditerranéen, et figure très tôt dans les ouvrages d'agronomie comme le *De re rustica* de Columelle au Iᵉʳ siècle apr. J.-C. Parce qu'elle dessine les paysages, elle participe intimement de l'économie de nos régions : le vin s'exporte, bénéficie des alliances politiques entre les grandes puissances ou pâtit de leurs mésententes. Deux mille ans ont passé, qui ont vu la viticulture s'étendre avec succès sur d'autres continents. Qu'est devenu le vin dans nos usages quotidiens ? Simple boisson à mettre sur la table au même titre que le pain ou élément festif de notre patrimoine gastronomique ?

Qu'est-ce que le vin ?

Selon la réglementation européenne, le vin est « le produit obtenu exclusivement par la fermentation alcoolique, totale ou partielle, de raisins foulés ou non, ou de moûts de raisins ». Cette définition est en train d'évoluer sous la pression d'États-membres de l'UE. Pour être déclaré vin, le produit doit titrer au minimum 8,5 % vol. d'alcool.

Boisson issue de la fermentation alcoolique du raisin.

La composition du vin

Plus de six cents composés ont été identifiés dans le vin, mais il en reste bien d'autres que les chimistes s'attachent à découvrir.

• L'**eau** entre pour 80 à 90 % dans sa composition : un vin titrant 12 % vol. d'alcool contient 88 % d'eau.
• Ensuite vient l'alcool, ou plus exactement les alcools : l'**alcool éthylique**, ou éthanol, majoritaire, provient de la fermentation naturelle des sucres du raisin par les levures ; il s'y ajoute des alcools supérieurs.

• Les **acides** participent à la couleur et à la structure du vin : ils sont issus soit du raisin (acides tartriques, maliques, citriques), soit de la fermentation (acides lactiques, succiniques, acétiques). Les professionnels ont pour usage d'exprimer l'acidité totale du vin en acide sulfurique ; celle-ci varie de 2 à 7 g/l.

• Pendant sa maturation, le raisin se charge en sucres et en pectines. Le vin contient toujours une part de sucres naturels que les levures n'ont pas réussi à transformer en alcool : ce sont les **sucres résiduels**. Un vin dit sec, dont on ne perçoit pas la saveur sucrée à la dégustation, en présente moins de 2 g/l, contre plus de 40 g/l pour un vin liquoreux. La fermentation alcoolique produit par ailleurs du **glycérol**, qui contribue de manière moindre à la sensation de douceur.

☞ *Qu'est-ce que la fermentation ? p. 59*

• Contenus dans la pellicule et les pépins du raisin, les **polyphénols** jouent un rôle essentiel dans le caractère des vins, rouges notamment. Il peut s'agir de **pigments colorants** (anthocyanes qui donnent la teinte rouge, ou flavonoïdes pour la teinte jaune) ou de **tanins** qui structurent le vin et laissent en bouche une sensation plus ou moins astringente, à la manière d'un thé trop infusé.

☞ *Que contient un grain de raisin ? p. 30*

• Que recherche-t-on dans le vin ? Des saveurs, certes, mais aussi des arômes. Ceux-ci naissent de **composés aromatiques** divers : esters et acétaldéhydes, terpènes, plus ou moins volatiles, c'est-à-dire capables de se transformer en vapeur pour atteindre notre nez.

• Le vin présente aussi **du gaz dissous** : gaz carbonique que l'on perçoit qu'à partir de 600 mg/l et

qui contribue à la fraîcheur du vin ; dioxyde de soufre (plus communément appelé soufre, SO_2) ajouté lors de la vinification pour stabiliser le vin.

☞ *Pourquoi ajouter du soufre ? p. 64*

• Enfin, entrent dans la composition du vin des **sels minéraux** (sulfates, phosphates, chlorures), des **minéraux** (potassium et calcium) et des **vitamines** (vitamine P, notamment).

Entre boisson et produit gastronomique

Contrairement à ce que laissent imaginer les natures mortes et les scènes de genre des peintres flamands, allemands, espagnols ou français des XVIIᵉ et XVIIIᵉ siècles, dans lesquelles le vin participe au repas des plus aisés comme des plus pauvres, il a fallu attendre la révolution industrielle pour que la consommation de vin se généralise, grâce notamment au chemin de fer qui permit d'alimenter les contrées

La célèbre phrase de Pasteur est à replacer dans le contexte du XIXᵉ siècle.

du Nord avec la solide production du Languedoc. Auparavant, cette denrée de luxe, très tôt réglementée et taxée, forgeant la réputation de ses régions de production, ne trouvait place que sur les tables des seigneurs et des bourgeois. Le peuple buvait de la piquette, mélange d'eau et de marc de raisin qu'on laissait fermenter et qui était certes beaucoup plus potable que l'eau. La célèbre phrase de Louis Pasteur, « *Le vin est la plus saine et la plus hygiénique des boissons* », se justifie aisément : depuis l'Antiquité et jusqu'au début du XXᵉ siècle (du moins en Occident, car on meurt encore dans le monde de choléra, de typhoïde et d'autres maladies liés à la consommation d'eau insalubre), les eaux naturelles qui alimentaient les villes étaient polluées. On comprend mieux pourquoi l'expression « À votre santé » ne s'emploie que verre de vin à la main... Aujourd'hui, le vin n'est plus cette

Bacchus, dieu du vin dans la Rome antique, représenté sur un foudre.

boisson quotidienne, source de calories pour les travailleurs de force. Parce qu'après les crises du début du siècle dernier (phylloxéra, fraude, surproduction et chute des prix), l'accent a été mis sur une politique de qualité d'une part, parce que l'alcoolisme n'a cessé d'être combattu, d'autre part, c'est le caractère culturel et convivial du vin qui s'est imposé. La consommation individuelle moyenne de la population en âge de consommer (15 ans et plus) s'est progressivement réduite : 160 l/hab/an en 1965 à moins de 70 l en 2005. Les vins de table ordinaires ont été les plus touchés ; on boit moins, mais mieux, en se tournant vers les vins AOC.

☛ *Qu'est-ce qu'une appellation d'origine contrôlée ? p. 114*

Le vin dans l'alimentation

Un gramme d'alcool correspond à 7 calories. Parce qu'il contient à la fois de l'alcool et du sucre en pro-

Le vin sans alcool existe-t-il ?

La bière sans alcool, vous connaissez. Mais savez-vous qu'il existe du vin sans alcool, ou plutôt désalcoolisé par un procédé sous vide (le titre alcoométrique est inférieur à 0,5 % vol.), avant enrichissement avec du moût de raisin concentré ?
Le nom de « vin » – *stricto sensu* boisson alcoolisée – pour un tel produit n'a pas manqué de soulever un problème juridique, mais le Zéro degré est bel et bien apparu en 1989, en Languedoc-Roussillon, à l'initiative de l'Inra et de l'Union des caves coopératives de l'Ouest audois et du Razès (Uccoar) qui cherchaient une réponse à la chute de la consommation de vin. Vingt ans plus tard, ce produit n'a pas encore trouvé son public.

portion variable, le vin apporte des calories à l'organisme. En outre, son acidité et ses tanins favorisent la digestion de mets roboratifs. Il n'en reste pas moins que l'alcool est dangereux pour la santé, quel que soit l'âge, le sexe et le seuil de tolérance de l'individu.
« *Le vin est une chose merveilleusement appropriée à l'homme si, en santé comme en maladie, on l'administre avec à-propos et juste mesure suivant la constitution individuelle* », écrivait Hippocrate au IIIe siècle avant notre ère.
Aujourd'hui, les diététiciens excluent le vin des aliments indispensables à notre nutrition, même si certains lui reconnaissent des vertus, s'il est consommé en faible quantité. En revanche, l'art de vivre lui accorde une place noble, celle d'un produit gastronomique.

☛ *Qu'est-ce que le French paradox ? p. 12*

Un produit culturel

Avant le développement des transports ferrés, on ne buvait que le vin de sa région, de son village, voire de sa vigne. Seules les grandes agglomérations étaient approvisionnées en vins importés par voie fluviale ou par de lents et coûteux charrois. La production vinicole faisait ainsi partie des traditions locales et contribuait à forger l'identité d'une région. Aujourd'hui encore, ouvrir une bouteille de vin revient à convier à sa table un ambassadeur. Car le vin est à l'image du terroir qui l'a vu naître : il reflète par ses caractères une géographique, un climat, des cépages, le savoir-faire des hommes. Constituer une bibliographie exhaustive des ouvrages consacrés à son sujet depuis l'Antiquité serait une œuvre titanesque tant la thématique du vin embrasse de domaines. Les poètes ont joué de la symbolique du vin, les agronomes se sont penchés sur la culture de la vigne et la vinification, les médecins sur les bienfaits et les méfaits du vin, les géographes sur la répartition des meilleurs vignobles (en 1816, un marchand de vin parisien, André Jullien, publie une *Topographie de tous les vignobles connus*), les gastronomes (Brillat-Savarin, puis Curnonski) sur le goût et le savoir-boire. Plus récemment, les critiques se sont lancés dans la publication de guides dont le succès prouve bien que si le vin s'est démocratisé, il demeure un sujet culturel, point de départ d'une conversation intarissable non seulement dans l'Europe anciennement viticole, mais aussi au Royaume-Uni, aux États-Unis ou au Japon.

Un rituel

Sujet littéraire, certes. Symbole religieux aussi. Dans l'Antiquité, le vin a son dieu : Dionysos en Grèce, Bacchus à Rome où sa célébration donne lieu aux bacchanales. L'Ancien Testament tantôt loue le vin comme une allégorie de la

Vendanges dans la Grèce antique (détail d'un vase).

merci de Dieu tantôt le dénonce quand les hommes s'enivrent ; l'histoire de Noé dont le premier geste en touchant terre après le Déluge fut de planter une vigne est édifiante. Le christianisme confère au vin une dimension plus grande encore, avec le miracle des noces de Cana, lorsque le christ transforme l'eau en vin, et surtout avec le mystère de l'Eucharistie, quand il scelle la nouvelle Alliance en présentant le vin de la coupe comme son sang.

La religion juive oscille, elle aussi, entre célébrations et mises en garde contre le vin, mais le Talmud écrit : « *Il n' y pas de joie sans vin* ». Le vin, kasher, c'est-à-dire produit sous le

contrôle d'un rabbin, participe ainsi aux rites religieux, lors du sabbat. La religion musulmane se distingue par un interdit. Le Coran raconte que les disciples de Mahomet s'étaient un jour enivrés et avaient tenu des propos impies, amenant le Prophète à bannir toute boisson alcoolisée. Il existe cependant de nombreux textes et d'admirables poésies où le vin sert de motif littéraire, les *Quatrains* du poète persan Omar Khayyam (XIᵉ-XIIᵉ siècles) étant les plus célèbres.

Le miracle des noces de Cana : l'eau se transforme en vin.

[2] Qu'est-ce que le *French paradox* ?

En 1990, Edward Dolnick, journaliste du magazine américain *Health*, souligne que les Français, par leurs coutumes alimentaires et la consommation régulière de vin rouge, sont bien moins exposés aux maladies cardiovasculaires que les Américains. Plus tard, une émission télévisée relaye cette idée en exposant les recherches de Serge Renaud, chercheur à l'Inserm. L'intérêt pour cette découverte est immense dans les pays anglo-saxons.

Le régime méditerranéen

L'étude Monica (*Multinational monitoring of trends and determinants of cardiovascular diseases*), lancée par l'Organisation mondiale de la santé au début des années 1980, a montré qu'à un niveau de cholestérolémie identique les Européens du Sud présentaient moins de risques cardiovasculaires que les populations du Nord. Plus que l'alimentation française, c'est le régime des pays méditerranéens, dit aussi crétois, que les diététiciens mettent en valeur, car celui-ci privilégie les graisses d'origine végé-

> Le *French paradox* est la constatation de la différence de risque de maladies cardiovasculaires entre les pays anglo-saxons et la France, en particulier le Sud-Ouest, alors que la nourriture française est particulièrement riche en graisses. Un paradoxe qui peut s'expliquer par le rôle protecteur des tanins du vin.

tale – huile d'olive en particulier –, les poissons à haute teneur en Omega-3 – acides gras poly-insaturés –, les fruits et les légumes, ainsi que le vin.

South-West paradox...

Les Toulousains présentent deux fois moins de risques cardiovasculaires que les Lillois. Cassoulet, soupe au lard... une gastronomie légère !
De fait, le gras d'oie et de canard apporte moins de cholestérol que le gras du bœuf, du porc ou que le jaune d'œuf. Et les habitants du Sud-Ouest accompagnent leur repas de vin rouge tannique (irouléguy, madiran, cahors, saint-mont...), riche en polyphénols, qui favorise l'assimilation des graisses.

Tanins salvateurs ?

Les tanins du vin ont des propriétés anti-oxydantes. Parmi la grande famille des polyphénols, le resvératrol, présent dans les tanins du vin rouge, semble le plus actif. Anti-agrégeant plaquettaire, anti-inflammatoire, vasodilatateur, il inhibe aussi la prolifération cellulaire.

Selon une étude épidémiologique danoise menée en 1995, les consommateurs de vin voient leur risque de maladies cardiovasculaires réduit de 47 %, tandis que les consommateurs de bière augmentent le leur de 22 % et ceux d'alcools forts de 36 %. D'autres études mettent en évidence une réduction de 20 % des incidences de cancers, à condition que la consommation ne dépasse pas quatre verres par jour ; des chercheurs bordelais ont par ailleurs avancé qu'une consommation modérée de vin pourrait prévenir l'apparition de la maladie d'Alzheimer, ce qui reste à prouver. La plus grande prudence est de rigueur : le vin n'est pas un remède et doit toujours être consommé avec raison.

[3] Quels sont les dangers du vin ?

Le vin renferme des composants issus du raisin qui le différencient des autres boissons contenant de l'alcool. Consommé au cours des repas, il semble plus aisément assimilable par l'organisme. Pourtant, par son titre alcoométrique, souvent supérieur à 10 % vol., il diminue les réflexes et les capacités d'analyse du consommateur et peut engendrer une dangereuse accoutumance.

L'alcoolémie est le taux d'alcool mesuré dans le sang après la consommation d'une boisson alcoolisée (un verre de vin élève l'alcoolémie de 0,20 g/l).

Les effets de l'alcool sur l'organisme

L'alcool passe rapidement dans le sang avant d'être brûlé dans le foie par les enzymes hépatiques. Les individus ne sont pas égaux devant l'alcool : les femmes montrent moins de résistance que les hommes et les personnes de faible poids sont plus fragiles. Sa consommation est à bannir chez les enfants et les femmes enceintes. L'alcool n'a aucun effet désaltérant : plus on boit, plus on a soif. À long terme, sa prise excessive dégrade les cellules hépatiques jusqu'à provoquer une cirrhose et agit sur le système nerveux. Conjuguer tabac et alcool augmente les risques de cancers des systèmes pharyngien et gastrique. Outre son effet euphorisant, l'alcool a un effet d'accoutumance, qui peut évoluer vers la dépendance. L'alcoolisme est la troisième cause de mortalité en France, derrière les maladies cardiovasculaires et le cancer.

Les effets de l'alcool sur le comportement

Même à doses modérées, l'alcool amoindrit les réflexes et l'appréciation des dangers. En France, la loi interdit la conduite au-delà d'une alcoolémie de 0,5 g/l. Un verre de vin de 12,5 cl à 12 % vol. représente 10 g d'alcool. Deux verres suffisent donc à atteindre l'alcoolémie maximale, et il faudra attendre avant de retrouver la sobriété : en une heure, un individu élimine au mieux 0,15 g d'alcool.

Vin et allergies

Les résidus des traitements phytosanitaires (telle la procymidone, fongicide dont la présence dans les vins limita les importations en direction des États-Unis en 1990) sont sévèrement contrôlés, ainsi que les métaux lourds (interdiction des capsules en plomb). D'autres substances, en forte concentration ou, chez certains individus, en plus faibles doses, sont susceptibles de provoquer une réaction : ainsi du dioxyde de soufre et de la thiamine (vitamine B1) avec des allergies, ou de l'ochratoxine A (toxine issue de moisissure naturellement présente dans des denrées végétales comme le café, le jus de raisin), avec des dérèglements neurologiques. Rassurez-vous : les quantités présentes dans le vin restent toujours bien en deçà du seuil de tolérance. Autrefois, la vinification de certains cépages hybrides, comme le noah qui contenait du méthanol, engendrait la production d'alcools supérieurs nuisibles, mais ces plants sont depuis longtemps interdits.

Les règles du savoir-boire
Privilégiez les repas pour consommer du vin et accompagnez-le d'une carafe d'eau. Un verre de vin suffit au mariage avec les plats. Sachez vous arrêter à temps ou confiez vos clés de voiture à une personne sobre. Si vous êtes seul conducteur, abstenez-vous. Lors d'une dégustation chez un producteur, recrachez le vin comme le font tous les professionnels.

[4]

Qu'est-ce qu'un cépage ?

L e vin, c'est avant tout une histoire de cépages. Et pas de n'importe quels cépages. Ceux d'une plante appelée *Vitis vinifera*. Il existe quelque 10 000 cépages dans le monde que les ampélographes, ces observateurs de la vigne, s'attachent à étudier et à décrire. Pourtant, une part infime de ce nombre est réellement cultivée aujourd'hui pour une production commerciale de raisin de table à manger comme un fruit frais, de raisins secs ou de raisin de cuve destiné à la vinification.

Pied de vigne qui possède des caractéristiques propres, reproductible par voie végétative (bouturage, greffage).

Un Vitis, oui...

La vigne productrice de raisin de table ou de cuve appartient au genre *Vitis* (défini par Charles Linné en 1753) de la famille botanique des *Vitacées* ; la vigne vierge qui habille nos palissades de ses couleurs rouges en automne est certes de la même famille, mais pas du même genre (*Parthenocissus* ou *Ampelopsis*). En 1887, le taxinomiste Planchon (spécialiste de la classification des êtres vivants) a subdivisé le genre *Vitis* en deux sections sur la base du nombre de chromosomes et de la morphologie (feuille, grappe, rameaux) des plantes : *Euvitis* (rebaptisé simplement Vitis) et *Muscadinia*. C'est dans la section *Euvitis* que se trouvent les espèces de vignes capables de se croiser et de donner des cépages

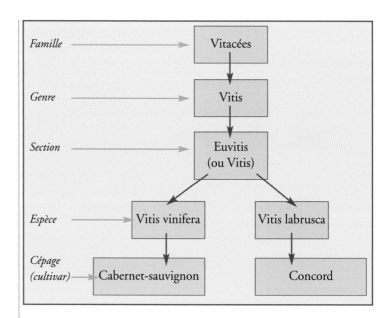

fertiles. Ces espèces sont présentes naturellement aussi bien en Europe qu'en Amérique ou en Asie.

... Mais un vinifera

Vinifera désigne des vignes domestiquées. C'est l'une des deux espèces européennes d'Euvitis, la seconde étant le *silvestris* qui regroupe les vignes sauvages, appelées communément lambrusques. En réalité, les milliers de cépages cultivés en Europe proviennent de vignes sauvages qui ont été sélectionnées pour la qualité de leurs baies, puis du vin que l'on pouvait en tirer.

La montagne Sainte-Victoire et le vignoble provençal dont les origines remontent aux Celto-Ligures et aux Romains.

Les botanistes appellent ces variétés sélectionnées au fil des cultures successives des **cultivars**.

Le continent américain possède de nombreuses espèces d'Euvitis, mais celles-ci se sont avérées peu propices à la vinification parce que leur raisin laissait un goût foxé (arôme animal de type « fourrure de renard », *fox* en anglais). Le cépage rouge concord, par exemple, appartient à l'espèce américaine *Vitis labrusca* ; il est encore cultivé sur la côte Est des États-Unis pour la production de raisin de table, de jus et même de vin de consommation courante.

La vigne est de tous les voyages

La vigne domestiquée trouve ses origines en Transcaucasie (Arménie, Géorgie) et en Asie Mineure. Au fil de leurs voyages, les hommes l'ont implantée en Égypte, en Grèce et dans tout le bassin méditerranéen, puis les Romains ont étendu sa culture à l'ensemble de leur empire. C'est encore par migration qu'elle a atteint les côtes américaines au XVe siècle avec les conquistadores, sud-africaines au XVIIe siècle avec les Hollandais, australasiennes au XVIIIe siècle avec les Anglais.

Si tous les cépages cultivés dans le monde pour une production vinicole de qualité font partie de l'espèce européenne *Vitis vinifera*, les espèces américaines n'en présentent pas moins un grand intérêt, car elles résistent aux maladies et au froid.

La généalogie des cépages

Les cépages connus aujourd'hui sont nés de mutations ou de croisements spontanés au cours des âges, et d'une adaptation aux conditions naturelles. Leur identification à partir de caractères morphologiques (feuilles principalement, mais aussi rameaux et fruits) et physiologiques (précocité, vigueur, résistance au milieu ou aux maladies) constitue la science de l'**ampélographie**. Longtemps restée confuse, l'ampélographie a fait de grands progrès au XXᵉ siècle grâce à Pierre Galet, de l'École supérieure agronomique de Montpellier, qui a classé tous ces descendants de vignes antiques. En ce début de XXIᵉ siècle, la biologie moléculaire (ADN) permet d'établir l'arbre généalogique des cépages actuels, lequel réserve parfois des surprises : les équipes de l'Université de Davis, en Californie (Carole Meredith et John Bowers), et de l'Inra de Montpellier (Jean-Michel Boursiquot et Patrice This) ont découvert que le gouais, médiocre cépage cultivé au Moyen Âge en Champagne et en Île-de-France, serait, avec le pinot, un parent du célèbre chardonnay.

☛ *Les grands cépages rouges et blancs. p. 20-27*

Vigne de chardonnay au Chili (domaine de Santa Carolina).

Hybrides et métis

Croiser des espèces de vigne répond à un besoin d'améliorer les potentialités de la plante. Un **hybride** est un croisement entre une ou plusieurs espèces américaines et l'espèce européenne *vinifera*. Le baco 22A, qui participe toujours à l'élaboration de l'armagnac, est un riparia x folle blanche (le signe x signifie « croisé avec »). Les hybrides ont été largement développés au XIXᵉ siècle pour obtenir soit des porte-greffes résistants au funeste puceron phylloxéra et à d'autres maladies, à la chlorose, au sel, à l'humidité ou à la sécheresse, soit des cépages plus fertiles destinés à produire directement du vin (on les appelle **hybrides producteurs directs**). Ils sont surtout issus des espèces américaines Riparia, Rupestris et Berlandieri.

Un **métis** est un croisement entre deux *vinifera*, tel le cépage allemand müller-thurgau (riesling x sylvaner). Cette démarche a essentiellement été entreprise en Allemagne et en Suisse.

☛ *Quels sont les fléaux de la vigne ? p. 40*

Les porte-greffes

Un plant qui sert de système racinaire à une autre plante après greffage est appelé porte-greffe. Avant que le phylloxéra ne ravage les vignobles européens à la fin du XIXᵉ siècle, la vigne était plantée franche de pied, c'est-à-dire non greffée. Pour combattre ce parasite, les chercheurs n'ont trouvé d'autres moyens que de greffer les vignes

européennes sur des sujets américains ou des hybrides résistants. Le pied de vigne se compose donc de deux parties : le porte-greffe, souterrain, et le greffon, aérien et fructifère qui demeure un *Vitis vinifera*. Ce sont les pépiniéristes qui réalisent le greffage, autrefois directement dans le vignoble, aujourd'hui en pépinière à partir de bois prélevés sur des vignes mères et soudés par de la cire ; ils obtiennent ainsi un plant appelé greffé-soudé.

Il ne reste que très peu de vignes franches en Europe ; les Vieilles Vignes Françaises de Bollinger, en Champagne, en sont l'exemple le plus prestigieux, mais les sols sableux du littoral languedocien ou de la région de Colares, sur la côte ouest du Portugal, permettent également de se passer de porte-greffe, car le puceron ne peut s'y déplacer. Le Chili et l'Argentine n'ayant jamais connu le phylloxéra sont encore plantés francs de pied.

Multiplier la vigne

Parce que la multiplication sexuée ou *in vitro* de la vigne est réservée à la création de croisements et que le semis ne donne pas de résultats constants, la seule pratique courante réside dans la voie végétative. Autrefois, les vignes étaient multipliées par **bouturage** direct ou par **marcottage** (on plongeait un rameau en terre, sans le couper de

Greffage de la vigne :
les nouveaux plants greffés-soudés
sont protégés par de la cire.

L'encépagement est l'ensemble des cépages qui constituent un vignoble en proportion variable. Si les cépages étaient autrefois plantés en foule, c'est-à-dire en mélange, ils sont aujourd'hui cultivés en parcelles bien séparées.

la souche mère, et l'on attendait qu'il prenne racine). Depuis la crise phylloxérique, on utilise la technique du **greffage** ; l'ensemble greffon et porte-greffe prend racine en terre ou en pot, puis le plant est installé dans le vignoble, dans un sol préalablement désinfecté et raisonnablement amendé. Les jeunes vignes sont arrosées le temps qu'elles s'enracinent plus profondément. Le **surgreffage** s'est développé dans le Nouveau Monde, sous l'impulsion des spécialistes mexicains qui œuvrent en Californie, afin de répondre rapidement à la demande des consommateurs. Il s'agit de greffer un nouveau cépage-greffon sur un ancien pied existant. On change ainsi l'encépagement d'un vignoble sans l'arracher pour autant, en conservant les racines des vieilles vignes, et l'on récolte dès l'année suivante. Toutefois, cette technique a pour inconvénient de réduire la longévité des ceps.

*Les cépages se reconnaissent
à leurs feuilles (à gauche, le merlot,
à droite, le cabernet-sauvignon).*

Sélectionner
les meilleures vignes

Sélectionner c'est isoler les pieds de vignes qui répondent à des critères de bonne santé, de vigueur, de qualité de fruits, *etc*. Deux types de sélection sont envisagés : la sélection massale et la sélection clonale.

La **sélection massale** consiste à observer au vignoble, pendant trois années consécutives, les sujets intéressants et à éliminer les autres. Une fois repérés par marquage, ces pieds sont multipliés et servent à la création d'une nouvelle parcelle. Ce principe préserve les caractères

locaux propres à une exploitation, mais il a ses limites : il existe peu de pieds sains, exempts de maladies virales.

La **sélection clonale** a pour objectif de créer des clones, individus génétiquement identiques à la souche mère (appelée tête de clone) qui a été sélectionnée. Les clones sont ensuite soumis à des tests virologiques, certifiés, puis multipliés en grand nombre.

La plupart des cépages français possèdent des clones répertoriés sous un numéro et mis à la disposition des viticulteurs dans les pépinières :

chaque clone d'un même cépage présente des qualités distinctes (plus ou moins productif, résistant ou apte à produire de grands vins). Le pinot noir compte ainsi une cinquantaine de clones agréés.

Le clonage fait souvent débat : les vignerons craignent une simplification du matériel végétal et reprochent à ces plants leur trop forte productivité. Le principe n'est pas tant en cause que les critères de sélection retenus : les chercheurs savent isoler des clones qualitatifs et peu vigoureux. À présent, les vignes issues de sélections clonales ont atteint un âge qui permet de comparer leurs performances avec celles des vieilles vignes massales, et l'on observe des résultats parfois très probants. La difficulté réside plutôt dans le choix très limité de clones de certains cépages, comme le cabernet franc ou la muscadelle.

Les OGM

La recherche sur les organismes génétiquement modifiés (OGM) n'a pas épargné la viticulture. Alors que le croisement ou l'hybridation sont appliqués à des individus de même genre, la manipulation génétique permet de modifier le patrimoine génétique d'une variété en introduisant dans ses chromosomes des gènes d'un autre organisme, sans considération du genre. Tout semble possible. On est en droit de s'inquiéter des impacts que pourraient avoir des vignes OGM sur l'équilibre de l'écosystème ; à ce titre, les essais en plein champ doivent être strictement confinés.

La notion d'appellation d'origine contrôlée, fondée sur des pratiques loyales et constantes, interdit de bouleverser des siècles de sélections progressives par une révolution qui touche au plus profond de la nature végétale. Néanmoins, refuser toute recherche, détruire tout essai et diaboliser les chercheurs relève de l'obscurantisme ou de l'exploitation idéologique des peurs populaires.

Une fois sélectionnées, les meilleures vignes sont reproduites par greffage en pépinière.

[5] Quels sont les grands cépages rouges ?

Pourquoi sont-ils rouges ? N'allez pas croire que leur jus est coloré. Les cépages de qualité possèdent un jus incolore. Tout réside dans la peau du raisin qui contient des pigments colorants appelés anthocyanes. C'est en laissant macérer ces pellicules avec le jus que l'on obtient la couleur rouge. Il est donc parfaitement possible d'obtenir un vin blanc avec des cépages rouges, en ne faisant fermenter que le jus.

Le cabernet franc

Découvrir. Bordelais d'origine où il est également appelé bouchet, le cabernet franc a fait son entrée dans le vignoble de Touraine au XVIIe siècle, sous la protection du cardinal de Richelieu. Celui-ci avait demandé à son intendant, l'abbé Breton, de le planter dans ses terres de Saint-Nicolas-de-Bourgueil. Le cépage fut ainsi surnommé breton dans la région. Vedette de la Gironde aux côtés du cabernet-sauvignon, il est aussi présent dans le Sud-Ouest, notamment à Bergerac et à Madiran sous le nom de bouchy.

Identifier. Vin aromatique (framboise, fraise, cassis), moins coloré et tannique que le cabernet-sauvignon, mais d'une grande finesse. En Touraine, certains vins libèrent une note de poivron vert typique du cépage : ils « bretonnent », selon l'expression consacrée en dégustation.

Goûter. Bordelais : saint-émilion grand cru classé Château Cheval Blanc (le cabernet franc domine singulièrement

l'assemblage de merlot et de malbec). Val de Loire : bourgueil, chinon (au moins 90 % de cabernet franc).

Le cabernet-sauvignon

Découvrir. « Le » grand cépage noble français et international, porté par les vins prestigieux du Médoc. En Bordelais et dans le Sud-Ouest, il forme un trio avec le merlot et le cabernet franc, tandis que dans la vallée de la Loire ou en Provence il se plaît

en compagnie des cépages locaux dans l'élaboration de vins rouges et rosés. Il peut être vinifié seul, comme en Languedoc (région où il s'est largement étendu), pour la production de vin de pays. Doué d'une grande capacité d'adaptation, le cabernet-sauvignon a essaimé dans le monde entier.

Identifier. Vin densément coloré, charpenté, apte à un long vieillissement. Les arômes de cassis ou de bourgeon de cassis s'accompagnent des notes épicées héritées des fûts de l'élevage ; une nuance de poivron vert est le signe d'une maturité insuffisante du cabernet-sauvignon. Les vins à dominante de cabernet-sauvignon demandent du temps pour s'épanouir.

Goûter. Bordelais : pauillac. Languedoc : vin de pays d'Oc. États-Unis, Californie : Napa Valley Stags Leap.

☛ *Terroirs et cépages :*
quels sont les couples célèbres ? p. 50

Le carignan

Découvrir. Originaire de la province espagnole d'Aragon, le carignan a été largement planté en Languedoc après la crise du phylloxéra. Très productif en plaine, il a été tenu pour responsable de la surproduction viticole du Midi et a fait l'objet d'arrachages massifs. Pourtant, les vignes âgées, cultivées à faibles rendements sur des sols caillouteux, offrent des vins d'une réelle personnalité. En régression, on trouve encore du carignan en Espagne (Catalogne), en Italie, au Mexique, en Argentine, en Californie et en Australie.

Identifier. Vin corsé, structuré par de solides tanins, marqué par les fruits rouges mûrs. Bonne capacité de vieillissement. Le carignan est souvent vinifié en macération carbonique pour exprimer son fruit.

Goûter. Languedoc : fitou (entre 60 et 70 %, complétés de grenache, de mourvèdre et de syrah).

☛ *Qu'est-ce que la macération ? p. 66*

Le gamay

Découvrir. Beaujolais par exellence, le gamay est attaché à l'image de ces vins primeurs que l'on partage chaque année dès le troisième jeudi de novembre. Pourtant, sur les meilleurs terroirs du nord du Beaujolais (les crus saint-amour, juliénas, chénas, moulin-à-vent, fleurie, chiroubles, morgon, régnié, côte-de-brouilly et brouilly), il acquiert plus de profondeur. Son caractère friand est recherché dans d'autres régions de France (Jura, Savoie, Gaillac, Val de Loire, Auvergne) et du monde (Suisse, Italie, Bulgarie, Canada et États-Unis).

Identifier. Vinifié seul et par macération carbonique, le gamay produit un vin léger, fruité (petits fruits rouges, pêche) et floral (rose, violette, pivoine), peu tannique, à boire jeune.

Goûter. Beaujolais : morgon (le vin le plus apte à la garde parmi les dix crus du Beaujolais). Centre : côtes-du-forez.

Le grenache

Découvrir. Ce cépage espagnol (*garnacha*), qui contribue notamment au panache des vins de La Rioja, aux côtés du tempranillo, et de la Navarre, a été importé en France dans le Languedoc, la vallée du Rhône et en Provence. Planté dans des terroirs caillouteux, il est assemblé au mourvèdre,

Le grenache.

à la syrah ou au carignan pour l'élaboration de vins rouges et rosés secs. Mais sa réputation lui vient aussi des prestigieux vins doux naturels du Roussillon.

Identifier. Vin grenat profond, chaleureux, rond et gras. Il libère une profusion d'arômes de fruits mûrs (pruneau, figue) et de fruits à noyau macérés dans l'alcool (kirsch), soulignés de notes de cacao, de café, d'épices.

Goûter. Roussillon : banyuls, rivesaltes, collioure. Vallée du Rhône : châteauneuf-du-pape. Provence : lirac, tavel (rosé). Espagne, Aragon : cariñena. Catalogne : priorat.

Le merlot

Découvrir. Le roi de Saint-Émilion et de Pomerol, dans
le Bordelais, est aussi le premier cépage rouge de France.
Le merlot a été largement adopté en Italie, en Suisse,
en Europe de l'Est et dans les pays du Nouveau Monde.
Identifier. Vin riche et gras, aux tanins ronds et aux notes
de pruneau, qui peut être apprécié dans sa jeunesse.
En assemblage, le merlot apporte de la souplesse
au cabernet-sauvignon.
Goûter. Bordelais : pomerol, saint-émilion. Suisse : merlot
del Ticino. Italie, Frioul : Colli Orientali del Friuli. États-Unis,
Washington : merlot de la Yakima Valley.

Le mourvèdre

Découvrir. Ce cépage espagnol (*morastel, monastrell* ou
mataro) est répandu dans les régions de Murcie, de Valence
et de Castilla-La Mancha. En France, on le cultive en
Provence (bandol), dans la vallée du Rhône et en Languedoc-
Roussillon, où il est assemblé aux grenache, cinsaut, syrah
et carignan. La Barossa Valley australienne et la Californie lui
accordent une bonne place dans leur vignoble.
Identifier. Vin densément coloré (du pourpre au grenat
foncé selon l'âge), riche en arômes de fruits rouges mûrs
(cassis, framboise), solidement structuré. Grande aptitude
à la garde.
Goûter. Provence : bandol (50 % de mourvèdre dans
l'assemblage). Espagne, Valence : alicante.

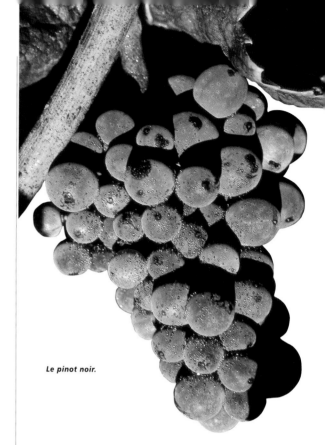

Le pinot noir.

Le nebbiolo

Découvrir. Ce cépage est à l'origine des meilleurs vins
d'Italie, dans le Piémont, quand il est conduit à petits
rendements sur des coteaux ensoleillés, riches en calcaire.
La Californie et l'Argentine ont essayé de le cultiver sans
obtenir le même succès.
Identifier. Vin coloré, puissant, aux arômes de fruits rouges
mûrs, presque cuits, de violette. La palette évolue vers le
cuir au cours de la garde et s'enrichit des nuances épicées
du fût de l'élevage. La singularité du nebbiolo est de
conserver beaucoup de fraîcheur. Longue garde.
Goûter. Italie, Piémont : barolo, barbaresco.

Le pinot noir

Découvrir. Le célèbre cépage bourguignon mûrit
précocement et peut donc être cultivé dans les régions
viticoles septentrionales. On le rencontre ainsi en Alsace,
dans le Val de Loire, en Jura et en Savoie, mais c'est
indéniablement en Côte-d'Or qu'il atteint sa plus belle

Le merlot.

expression. Sujet aux mutations (il existe un pinot meunier aux feuilles duveteuses), le pinot noir a fait l'objet de sélections clonales qui ont parfois privilégié la productivité. Il est vinifié en blanc et assemblé à d'autres cépages pour l'élaboration de vins effervescents, comme le champagne. Sous le nom de spätburgunder, il se place en tête des cépages rouges de l'Allemagne (pays de Bade, Palatinat, Hesse rhénane, Wurtemberg et Rheingau). On le retrouve en Suisse, en Italie (Trentin-Haut Adige, Frioul), ainsi qu'aux États-Unis (Californie, Oregon), en Nouvelle-Zélande et en Afrique du Sud.

Identifier. Vin peu coloré, mais très aromatique (petits fruits rouges, cerise) et structuré par des tanins au grain fin, soyeux, élégant. Longue garde.

Goûter. Bourgogne : vosne-romanée, chambertin, clos-vougeot, volnay, pommard... Vallée de la Loire : sancerre. Allemagne, pays de Bade : spätburgunder. États-Unis, Oregon : Villamette Valley.

☞ *Précocité p. 30*
Sélection clonale p. 18

Le sangiovese

Découvrir. L'Italie doit au sangiovese, dont le nom signifie « sang de Jupiter », ses plus célèbres vins de Toscane. Toutefois, les clones sont nombreux, plus ou moins productifs et donc plus ou moins qualitatifs. Sous le nom de niolluccio, ce cépage est cultivé, depuis le Moyen Âge, en Corse où il trouve un aire de prédilection à Patrimonio. Il s'est largement répandu en Argentine et en Californie (Napa Valley).

Identifier. Vin rubis, chaleureux et charnu, riche en arômes

Ils n'en sont pas moins grands !

Si certaines variétés françaises ont fait le tour de la planète viticole, devenant ainsi des cépages internationaux, il ne faudrait pas oublier ces nombreux autres plants qui forgent l'identité d'une région. Leur nom figure souvent sur les contre-étiquettes des bouteilles de vin. Pour chaque vin d'appellation d'origine, vous les retrouverez aisément dans le *Dictionnaire des vins de France*.

---

de fruits rouges et noirs. Les vignerons italiens réservent souvent au vin de sangiovese de longs élevages en foudre qui renforcent sa complexité (arômes animaux, épicés, matière soyeuse).

Goûter. Italie, Toscane : brunello di Montalcino, chianti classico (en assemblage avec le cabernet-sauvignon), vino nobile di Montepulciano. Corse : patrimonio.

La syrah

Découvrir. Indissociable de la vallée du Rhône septentrionale, la syrah a gagné avec succès la Provence et le Languedoc-Roussillon, où elle peut être vinifiée seule en vin de pays ou bien assemblée aux cépages locaux pour produire des vins d'appellation d'origine. En Australie, sous le nom de shiraz, elle est devenue le principal cépage rouge.

Identifier. Vin rouge sombre, solidement structuré, aux arômes de violette, de fruits noirs, de réglisse et de poivre. Longue garde.

Goûter. Vallée du Rhône : côte-rôtie, cornas, hermitage. Australie : Barossa Valley shiraz, Hunter Valley shiraz, Coonawarra shiraz.

Le tempranillo

Découvrir. Dénommé en espagnol « le précoce » parce qu'il mûrit tôt, le tempranillo joue un rôle essentiel dans la production vinicole de l'Espagne, particulièrement dans La Rioja, en Catalogne et en Castille-León. Il est souvent associé à d'autres cépages pour un bon équilibre du vin. Adopté au Portugal sous le nom de tinta roriz, il s'est aussi diffusé en Argentine sous celui de tempranilla ou ojo de liebre.

Identifier. Vin grenat, structuré, aux arômes de petits fruits rouges. Longue garde.

Goûter. Espagne : rioja ; penedès (Catalogne) ; ribera del duero (Castille-León). Argentine : Mendoza.

La syrah.

[6] Quels sont les grands cépages blancs ?

L a peau des raisins blancs ne contient pas les pigments colorants anthocyanes, mais d'autres composés qui lui donnent une teinte jaune plus ou moins soutenue. Le chardonnay offre ainsi des baies légèrement ambrées et le riesling des grains allant du vert pâle au jaune doré. Cependant, d'autres cépages sont dits blancs alors qu'ils se parent à maturité de couleurs chaleureuses, comme le gewurztraminer alsacien d'un rose-rouge d'aquarelliste.

Le chardonnay

Découvrir. Premier cépage blanc planté dans le monde, le chardonnay est la consécration du modèle bourguignon. Parce qu'il s'adapte aisément aux conditions climatiques locales, il a su s'éloigner de sa Bourgogne natale et de la Champagne crayeuse pour gagner le Val de Loire, la Savoie et même des régions plus chaudes comme le Languedoc, la Provence, l'Espagne. Les pays du Nouveau Monde – Californie, Australie, Chili, Afrique du Sud, Nouvelle-Zélande et Argentine – l'ont mis à l'honneur.

Identifier. Vin complexe, ample et gras, dont le fruité inimitable est souligné de notes de noisette et de beurre. Il se prête remarquablement à l'élevage sous bois. En Champagne, le chardonnay peut être assemblé aux pinots noir et meunier, ou bien vinifié seul pour donner naissance au champagne blanc de blancs.

Goûter. Bourgogne : chablis, meursault, montrachet, corton-charlemagne. Champagne : champagne blanc de blancs. États-Unis : Californie, Carneros. Chili : terroirs d'altitude.

☞ *Terroirs et cépages :*
quels sont les couples célèbres ? p. 50

Le chenin

Découvrir. Appelé aussi pineau, le grand cépage blanc de la Loire, déjà vanté par Rabelais dans ses écrits, affectionne les sols de la région et notamment son tuffeau, cette pierre crayeuse qui a servi à la construction des châteaux de la Loire. Si on l'associe parfois à de petites parts de chardonnay

Le chardonnay.

Les vins de cépage

Ce sont des vins élaborés avec un cépage unique (aux États-Unis, au moins 75 % d'un même cépage ; en France, 85 %). La notoriété de cépages comme le cabernet-sauvignon et le chardonnay a contribué au succès de ces vins, surtout dans les pays anglo-saxons, car ils étaient facilement identifiables auprès des consommateurs néophytes. En France, les vins de pays, notamment en Languedoc, se sont spécialisés dans ce type de vin. Même lorsqu'ils sont issus d'un seul cépage (pinot noir bourguignon, par exemple), les vins d'appellation d'origine ne doivent pas revendiquer le nom du cépage sur l'étiquette, à l'exception notoire des vins d'Alsace, de Savoie, du Jura et de Touraine.

et de sauvignon, il reste maître en ses terres. Les vignerons d'Afrique du Sud en ont fait leur premier cépage blanc sous le nom de steen. On le retrouve en Californie, en Argentine et au Chili où il produit des vins de qualité variable.

Identifier. Vin jaune paille, parfaitement structuré par l'acidité, aux arômes de fleurs, d'agrumes. Le chenin se décline dans tous les styles, depuis les vins secs, demi-secs, moelleux jusqu'aux vins liquoreux complexes et miellés, aptes à une longue garde. Il peut produire des vins effervescents.

Goûter. Vallée de la Loire : savennières, anjou (vins secs) ; vouvray, montlouis (vins secs à moelleux) ; coteaux-du-layon, bonnezeaux, quarts-de-chaume (vins liquoreux) ; saumur, crémant-de-loire, vouvray (vins effervescents). Afrique du Sud.

Le gewurztraminer

Découvrir. Symbole de l'Alsace, le gewurztraminer ne peut être confondu avec aucun autre cépage grâce à ses baies roses. *Gewürz* signifie « épicé » en allemand : ce cépage est en effet une variété aromatique du traminer originaire du Tyrol italien. Plant noble, il entre dans l'encépagement des grands crus alsaciens, notamment sur les terroirs marno-calcaires qui favorisent son expression. Il est également cultivé à petite échelle dans d'autres pays,

comme les États-Unis, en Oregon et en Californie, la Suisse (heida), le nord de l'Italie et l'Espagne, sans atteindre toutefois la même qualité qu'en Alsace.

Identifier. Vins secs, moelleux (vendanges tardives) ou liquoreux (sélection de grains nobles) chaleureux, à la palette exubérante rappelant la rose, les agrumes, le litchi, le pain d'épice.

Goûter. Alsace : alsace-gewurztraminer. Espagne : somontano.

☛ *Vendanges tardives p. 99*
☛ *Sélection de grains nobles p. 100*

Le muscat à petits grains.

Les muscats

Découvrir. Il n'existe pas un cépage muscat, mais des muscats réputés depuis l'Antiquité dans le bassin méditerranéen pour leur raisin de table et de cuve.

Le **muscat à petits grains**, le plus fin, se prête à l'élaboration de vins doux naturels : muscat-de-frontignan, muscat-de-lunel, muscat-de-mireval, muscat-de-beaumes-de-venise, muscat-de-saint-jean-de-minervois, muscat-du-cap-corse, en France, muscat de Samos, de Patras et de Céphalonie en Grèce. Il peut aussi produire des vins effervescents, tels la clairette-de-die en Languedoc ou le moscato d'Asti et l'Asti spumante en Italie.

Le **muscat d'Alexandrie**, variété plus tardive, est à l'origine de vins doux en Roussillon (muscat-de-rivesaltes, avec une part de muscat à petits grains), de vins de liqueur en Espagne (divers moscatels et le malaga), au Portugal (moscatel de Setúbal), en Italie, en Grèce, en Tunisie et jusqu'en Australie (*gordo blanco*), mais il peut également donner des vins secs. Le **muscat ottonel**, né d'un croisement entre le chasselas et le muscat de Saumur, offre des vins secs légers, ainsi que des vins liquoreux en Alsace, en Hongrie et dans d'autres pays d'Europe de l'Est.

Identifier. Reconnaissable entre tous, le muscat à petits grains libère des arômes de fleur d'oranger, de rose, de raisins secs, de fruits exotiques. Le dégustateur recherche en bouche le goût du raisin frais que l'on croque.

Goûter. Languedoc : muscat-de-frontignan. Grèce : muscat de Samos. Espagne : malaga. Italie : moscato d'Asti.

☛ *Qu'est-ce qu'un vin de liqueur ? p. 103*
☛ *Qu'est-ce qu'un vin doux naturel ? p. 105*

Le pinot blanc

Découvrir. Bourguignon d'origine, le pinot blanc a trouvé un foyer plus douillet encore en Alsace, où il est souvent assemblé avec l'auxerrois pour produire l'alsace-klevner. Il entre dans l'élaboration des crémants d'Alsace, vins effervescents. Il est apprécié en Europe de l'Est, ainsi qu'en Italie (*pinot bianco*), en Allemagne et plus encore en Autriche (*weissburgunder*) où il peut s'exprimer en vin liquoreux.

Identifier. Vin jaune-vert, frais, souple et fruité (pêche, agrumes).

Goûter. Alsace : alsace-klevner. Autriche : Burgenland weissburgunder.

Le pinot gris

Découvrir. Ce cépage, mutation à peau rose-gris du pinot noir, a longtemps été complanté avec ce dernier dans les vignobles producteurs de vins rouges de Bourgogne, où on le nomme pinot beurot. Mais c'est en Alsace qu'il s'illustre depuis le XVIIe siècle ; considéré comme un plant noble apte à être cultivé dans les grands crus alsaciens, il est vinifié en vins secs, moelleux (vendanges tardives) ou liquoreux (sélection de grains nobles). L'Allemagne (*rülander*), l'Autriche, la Hongrie et l'Italie le cultivent plus largement encore. On le retrouve aussi en Suisse (*malvoisie* dans le canton du Valais) et, à petite échelle, aux États-Unis, en Oregon.

Identifier. Vin jaune or, finement aromatique et épicé.

Goûter. Alsace : alsace-pinot gris grand cru Rangen de Thann. Italie : collio.

Le riesling

Découvrir. Grand cépage rhénan, le riesling offre une indéniable qualité dans les régions septentrionales. C'est en Allemagne que sa culture est la plus importante ; ses ceps prospèrent sur les versants exposés au sud de la vallée de la Moselle aux sols schisteux, de la Sarre et de la Ruwer. Les vignerons allemands le déclinent aussi bien en vins secs qu'en vins moelleux et liquoreux et même en vins de glace (ils vinifient le raisin vendangé gelé sur souche par le froid hivernal). Il en va de même en Alsace où ce cépage révèle toute sa complexité dans les grands crus, comme le Schlossberg et le Sommerberg. Le riesling est en outre cultivé en Autriche et dans toute l'Europe de l'Est, en Italie dans le Frioul (*riesling renano*, à ne pas confondre avec le *riesling italico*, variété beaucoup moins noble), en Australie dans la Barossa Valley, en Nouvelle-Zélande, au Canada et, avec moins de succès, aux États-Unis en Californie et dans l'État de Washington.

Identifier. Vin à la fois minéral et fruité, qui peut paraître austère dans sa jeunesse mais qui vieillit remarquablement plus de dix ans. La bonne acidité équilibre la douceur des vins moelleux et liquoreux.

Goûter. Alsace : alsace-riesling grand cru Schlossberg. Allemagne : Mosel-Saar-Ruwer, Rheingau.

☛ *Vin de glace p. 101*
☛ *Grands crus alsaciens p. 121*

Le sauvignon

Découvrir. Un Bordelais à l'âme vagabonde, ce sauvignon si typé. Le voici, dans sa région d'origine, qui complète le sémillon et la muscadelle pour donner naissance non seulement aux vins secs de l'Entre-Deux-Mers et des Graves, mais aussi aux vins liquoreux (sauternes, par exemple). Le Sud-Ouest le cultive dans le même esprit. Le voici surnommé blanc fumé dans le Centre-Loire où, vinifié seul, il participe à la réputation des vins du Sancerrois. Il entre par ailleurs dans des assemblages de la vallée de la Loire, associé au chenin et au chardonnay en Anjou-Saumur. En Bourgogne ? Arrêtez-vous dans l'Yonne, où il se confond avec l'appellation saint-bris. Mais plus au sud ? Rien ne semble devoir le détourner de sa route... On le retrouve en Provence et dans le Languedoc, dans des vins de pays pleins de fraîcheur, fruités-floraux. Dans le monde, ce cépage est présent en Italie (Frioul), au Chili, en Australie, ainsi qu'en Californie où il est élevé sous bois et vendu sous le nom de *fumé blanc*. La Nouvelle-Zélande (notamment la région de Marlborough) s'en est fait une spécialité et l'Afrique du Sud remporte un succès certain grâce à ses vins.

Identifier. Vin agréablement fruité lorsque le raisin a été récolté à parfaite maturité ; des notes caractéristiques de buis, voire de pipi de chat, trahissent une vendange insuffisamment mûre.

Goûter. Vallée de la Loire : sancerre, pouilly-fumé, quincy, reuilly, menetou-salon. Bourgogne : saint-bris. Afrique du Sud : Marlborough sauvignon.

Le sémillon

Découvrir. Entre le champignon *Botrytis cinerea* qui concentre le raisin à la fin d'un automne ensoleillé et le sémillon, une alchimie se réalise. Les aires productrices de vins liquoreux du Bordelais et du Bergeracois – sauternes-barsac et monbazillac, pour n'en citer que deux – en ont ainsi fait le cépage vedette de leurs assemblages. Le sémillon est aussi le complément idéal du sauvignon dans les vins blancs secs de longue garde des appellations d'origine graves et pessac-léognan. En Provence, il entre dans l'encépagement de nombreuses appellations, sans jamais dominer les cépages locaux. On le retrouve en Argentine, au Chili, aux États-Unis (Californie et État de Washington), en Afrique du Sud et surtout en Australie, dont les vins de la Hunter Valley jouissent d'une bonne réputation.

Identifier. Vin or pâle, rond, discrètement aromatique

La planète vin

Le vignoble mondial représente 7,9 millions d'hectares, dont 3,9 millions dans l'Europe à 27 (50 % de la superficie mondiale) et près de 1,2 million dans les pays du Nouveau Monde (États-Unis, Argentine, Chili, Afrique du Sud, Australie) qui ont étendu leurs surfaces à partir de 1995. Les pays asiatiques, comme la Chine, plantent de manière croissante depuis la fin des années 1990.

Le sémillon.

(genêt, acacia, agrumes, fruits exotiques, fruits jaunes).

Goûter. Bordelais : graves, pessac-léognan, sauternes, barsac. Sud-Ouest : monbazillac. Australie : Hunter Valley semillon.

Le viognier

Découvrir. La vallée du Rhône septentrionale : ses terrasses pentues qui plongent vers le fleuve, rive droite. Les ceps chargés de petits raisins ronds et ambrés sont ceux du viognier, un cépage local auquel les vins doivent ici leur haute qualité. Un temps boudé parce que difficile à cultiver et peu productif, il a heureusement bénéficié du regain d'intérêt des consommateurs pour la production rhodanienne. Aujourd'hui, il joue aussi un rôle non négligeable dans les vins de pays du Languedoc, ainsi qu'en Californie et en Australie.

Identifier. Vin souple et élégant, intensément fruité et floral : abricot, pêche, fleurs blanches.

Goûter. Vallée du Rhône : condrieu, château-grillet. Californie : San Luis Obispo.

[7] Comment pousse la vigne ?

Les saisons se suivent, la vigne, plante à feuilles caduques, se transforme. La voici en hiver, simple morceau de bois. Mais bientôt la vie reprend. D'infimes larmes coulent de ses rameaux sévèrement taillés, les bourgeons se dessinent puis éclosent.

Le cycle végétatif de la vigne est le développement annuel de la plante par étapes : le débourrement, la feuillaison, la floraison, la véraison et l'aoûtement, la maturation, la chute des feuilles et la dormance.

Mars-avril : les pleurs et le débourrement

La température commence à peine à augmenter et le sol à se réchauffer que la vigne se réveille timidement. Un peu de sève s'écoule des plaies laissées sur ses rameaux par la taille d'hiver : ces **pleurs**, composés en majorité d'eau, signalent que le système racinaire reprend son activité.

Le débourrement.

En mars-avril, les bourgeons gonflent, prêts à éclore quelques semaines après, lorsque le thermomètre affiche une dizaine de degrés : c'est le **débourrement**. En cette saison où un coup de froid est toujours possible, le vigneron reste sur ses gardes : si le mercure chute au-dessous de -2,5 °C, les bourgeons gèlent et n'ont aucune chance de produire des fruits. Les jeunes pousses se développent en de nouveaux rameaux, lesquels poursuivront leur croissance jusqu'en juillet.

☞ *Taille p. 34*

Mai-juin : la floraison et la nouaison

Les inflorescences qui apparaissent dès le printemps sur les rameaux ont été conçues l'année précédente dans les bourgeons dormants, car la vigne, plante bisanuelle, se développe sur deux ans. Que l'on ne s'attende pas à une **floraison** spectaculaire dans le vignoble. Discrètes, mais délicatement odorantes, les fleurs de vigne forment des grappes de minuscules corolles placées à l'opposé des feuilles.

Protéger la vigne

Gelées et grêle sont deux aléas climatiques redoutables dans le vignoble, et les viticulteurs rivalisent d'ingéniosité pour écarter ces dangers. Ils placent des chaufferettes alimentées au fuel ou au gaz entre les rangs ou bien aspergent d'eau en permanence les pieds de vignes afin que de la glace recouvre les bourgeons et protège le tissu végétal. Lorsque les vignes se trouvent dans une situation d'inversion thermique (une couche d'air chaud se trouve au-dessus d'une couche d'air froid), il est possible d'utiliser des machines qui brassent l'air (*wind machines*). Récemment, des fils chauffants ont même été introduits dans les palissages : une solution très efficace, mais qui demande une source électrique puissante.

Quant à la grêle, les fusées et autres canons sonores n'ont pas plus d'effets que le tocsin ou les processions d'autrefois. Seules des opérations à grande échelle exigeant des moyens aériens lourds et coûteux (avions, radars) permettent de réduire les risques.

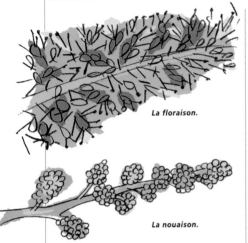

La floraison.

La nouaison.

La floraison est suivie de la **nouaison**, formation du fruit après la fécondation. Seuls 30 % des fleurs sont généralement fécondées ; elles vont déterminer le volume de la prochaine vendange. De mauvaises conditions climatiques, comme un excès de pluies ou des températures trop basses, provoquent la coulure (absence de grains) ou le millerandage (baies trop petites). Une vigne trop vigoureuse connaît elle aussi la coulure, parce que la sève nutritive se dirige vers les rameaux en croissance plutôt que dans les fruits. Le grenache et le merlot sont des cépages particulièrement sujets à la coulure.

Juillet-août : l'aoûtement et la véraison

Les rameaux ont terminé leur croissance ; ils commencent à devenir marron et se recouvrent d'une écorce ligneuse : c'est l'**aoûtement** qui durera jusqu'en octobre. Désormais, on ne parle plus de rameaux,

mais de sarments. Toute l'énergie de la vigne se concentre alors dans le développement des baies.

La **véraison** est le changement de couleur de la peau du raisin. Elle marque le début de la phase de maturation. Les grains de raisin qui, jusqu'alors, se présentaient comme de petites billes dures et vertes gagnent en transparence et se colorent. À cette période, un manque d'alimentation en eau peut entraver la maturation et provoquer un blocage.

La véraison.

Fin août-octobre : la maturité

Dans le raisin la teneur en sucre augmente régulièrement tandis que l'acidité diminue. Lorsque les baies ont atteint une composition optimale, il est temps de récolter. Une fois sa croissance terminée, la vigne reconstitue des réserves, essentiellement d'amidon ; la sève redescend vers les racines et dans les bois du tronc, des bras et des

sarments. Les feuilles commencent à jaunir, puis tombent.

☛ *Que contient un grain de raisin ? p. 30*
☛ *Vendanger à la main ou à la machine ? p. 38*

Novembre-janvier : la dormance

Lorsque la vigne est entrée en repos hibernal, ou dormance, elle est capable de supporter des températures très basses, jusqu'à -17 °C (au-delà les pieds risquent de mourir). Un hiver long et froid favorise un bon débourrement et assainit le pied de vigne.

La maturation.

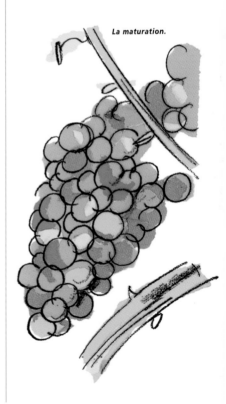

[8] Que contient un grain de raisin ?

En blanc comme en rouge, elles sont appétissantes ces grappes de raisin bien mûres que les vendangeurs coupent avec soin sur le pied de vigne. Au cours de leur maturation, elles se sont enrichies en sucre, bien sûr, mais aussi en de nombreux autres composants qui vont forger le caractère du futur vin.

Chaque cépage vit à son rythme

Les cépages sont certes classés selon leur couleur, blanc ou rouge, mais aussi selon leur précocité, c'est-à-dire leur date de débourrement et de maturité. Le chasselas sert de référence. Les cépages de première époque (chardonnay, pinot noir, gamay) mûrissent en même temps que le chasselas. Puis viennent les cépages de deuxième époque (riesling, syrah, cabernet-sauvignon), mûrs dix à vingt jours plus tard, les cépages de troisième époque (grenache, carignan), entre vingt et trente-cinq jours après, et ceux de quatrième époque (muscat d'Alexandrie), quarante-cinq jours après.

La maturation peut durer de trente à soixante-dix jours après la véraison. Les cépages précoces connaissent une période de maturation brève ; ils sont ainsi adaptés aux climats septentrionaux.

A contrario, les cépages tardifs mûrissent plus longuement, ce qui les prédestine aux régions méridionales.

Si toutes les fleurs n'ont pas été fécondées en même temps, la véraison et donc la maturité des baies sont décalées d'autant, ce qui peut nuire à l'homogénéité de la vendange. C'est pourquoi il est préférable d'éclaircir les grappes au moment de la véraison, lorsque l'on peut distinguer les raisins en avance de ceux qui risquent de ne pas mûrir et d'apporter des goûts herbacés au vin.

La course aux sucres

Pendant la maturation, la pulpe du raisin s'enrichit en sucres. Le saccharose, produit par photosynthèse dans les feuilles, mais aussi stocké sous forme d'amidon dans les parties ligneuses de la vigne (tronc, sarments, racines), migre vers les baies où il se transforme en glucose et en fructose. La proportion de glucose et de fructose évolue au cours de la maturation : plus de glucose au début, moins à la fin. L'accumulation de sucres peut être bloquée par la sécheresse comme par des températures trop froides ou un ensoleillement insuffisant, par un excès de vigueur de la vigne ou encore par l'arrivée de pluies qui font gonfler les grains et les diluent. Le vigneron évalue la teneur en sucres du raisin avec un densimètre. Parallèlement, le taux d'acidité baisse. En respirant, la plante élimine l'acide malique en quantité, tandis que l'acide tartrique se dilue dans la baie qui grossit. L'acidité décline plus lentement sous un climat frais, alors qu'elle peut chuter rapidement sous de grandes

LE PÉDONCULE. Il est attaché à la rafle, partie ligneuse qui porte les grains. Riche en tanins astringents, celle-ci transmet des goûts herbacés. C'est la raison pour laquelle le vigneron érafle le raisin avant toute vinification.

LA PULPE. Chair du raisin qui représente entre 75 et 85 % du poids de la baie. Elle contient du sucre, des acides, des composés azotés et des sels minéraux. Qu'il soit rouge ou blanc, le raisin de qualité possède une pulpe incolore. Il existe cependant des cépages au jus coloré, qualifiés de teinturiers car on les utilisait autrefois pour renforcer la teinte des vins de médiocre qualité.

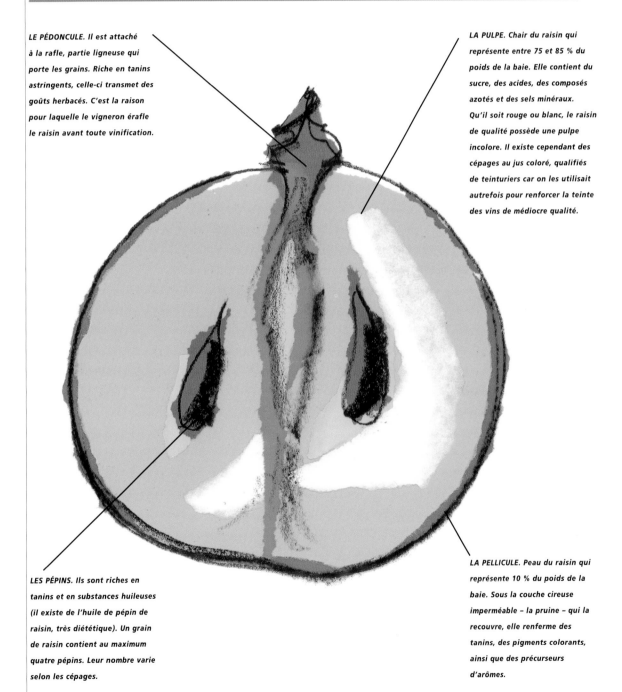

LES PÉPINS. Ils sont riches en tanins et en substances huileuses (il existe de l'huile de pépin de raisin, très diététique). Un grain de raisin contient au maximum quatre pépins. Leur nombre varie selon les cépages.

LA PELLICULE. Peau du raisin qui représente 10 % du poids de la baie. Sous la couche cireuse imperméable – la pruine – qui la recouvre, elle renferme des tanins, des pigments colorants, ainsi que des précurseurs d'arômes.

La peau du raisin (ci-dessus le grolleau), ici recouverte de pruine, gagne en couleur avec la maturité.

Les polyphénols sont des composés chimiques très réactifs qui rassemblent des pigments colorants, les tanins et des substances aromatiques.

Bluff ? Les arômes variétaux ne sont pas perceptibles dans le jus de raisin, sauf dans le cas de cépages riches en composés terpéniques (les terpènes entrent dans de nombreuses essences aromatiques) comme le muscat. Ils existent à l'état latent, sous forme de précurseurs d'arômes dans la partie interne de la pellicule du raisin. Leur part augmente pendant la maturation, mais ils peuvent être brûlés par de trop fortes chaleurs ou par une maturation trop poussée. C'est lors de la fermentation, sous l'action des levures et des enzymes, que se libère la forme aromatique de ces composés.

Le raisin prend des couleurs

Lors de la maturation, le grain de raisin passe de la couleur verte, due à chlorophylle, à sa teinte définitive : jaune, rouge ou noir bleuté. Les pigments colorants, comme les anthocyanes et les flavonols, se trouvent dans la pellicule du grain, et non dans la pulpe. Ils se multiplient au cours de la maturation, à la faveur de la température et de l'ensoleillement. Certains cépages en sont plus riches que d'autres. Les anthocyanes donnent la couleur rouge ; les raisins blancs, en revanche, en sont dépourvus.

chaleurs. Le pH augmente au cours de la maturation, de même que la concentration en acides aminés et en minéraux (potassium en grande proportion, calcium, magnésium et sodium).

☛ *Pourquoi corriger la vendange ?*
p. 62

Ça ne sent rien... et pourtant !

Ce chardonnay aux arômes de pain beurré et de noisette que l'on vous a tant vanté... De passage dans le vignoble bourguignon de Chablis, vous en avez bien grappillé quelques grains : il ne sent rien !

Patience : les tanins mûrissent...

Les tanins se concentrent dans la pellicule, les pépins et la rafle du raisin ; leur proportion augmente au cours de la maturation, mais ils évoluent, deviennent de plus en plus extractibles et de moins en moins astringents. Les vignerons parlent de maturité phénolique, un facteur aussi important que la maturité dite industrielle (sucres + acides) pour fixer la date optimale des vendanges. Ils la déterminent à l'aide de plusieurs indices analytiques et par la dégustation des raisins (en particulier en croquant les pépins pour en percevoir l'amertume).

La surmaturité : toujours plus de concentration

Si le raisin reste sur souche après avoir atteint sa maturité, le taux de sucre dans les baies augmente encore par concentration. Les grains perdent leur eau par évaporation jusqu'à se dessécher partiellement : ils passerillent. Les polyphénols, anthocyanes et tanins, évoluent et se libèrent plus facilement des cellules de la pellicule et des pépins. Mais attention, la peau se fragilise aussi, peut éclater et laisser entrer la pourriture. Parfois, la rafle change de couleur et offre des tanins plus mûrs. Les arômes se transforment également en des notes plus lourdes et confiturées. Si une très légère surmaturation des raisins rouges permet d'élaborer des vins plus souples et alcoolisés, une surmaturation excessive ne peut que rendre les vins moins fins.

Le passerillage dessèche le raisin et concentre le jus.

[9]   Comment cultiver la vigne ?

Au calendrier de la vigne correspond celui du viticulteur qui, par ses travaux successifs, s'attache à obtenir les meilleurs fruits. Il lui faut braver la froidure de l'hiver pour tailler les ceps, travailler les sols, surveiller l'apparition de parasites. Autant d'efforts dont la récompense n'est jamais acquise d'avance.

La prétaille

Le viticulteur prépare la taille par un dégrossissage au début de l'hiver, souvent à la machine.

La taille et le mode de conduite

De novembre à mars, lorsque la sève ne circule plus, le viticulteur taille ses vignes au sécateur : il choisit les rameaux qui porteront la récolte suivante et ajuste leur longueur selon le rendement espéré. Un certain nombre de bourgeons – appelés yeux – est ainsi laissé sur chaque pied. Il faut tailler sévèrement la vigne afin que celle-ci n'épuise pas ses réserves en alimentant trop de rameaux. Les sarments coupés sont broyés et brûlés dans le vignoble.

On distingue deux modes de taille, ou conduite, de la vigne : la taille courte et la longue. Le choix est dicté par la fertilité des premiers bourgeons du cépage. S'ils sont très fertiles on laissera un petit nombre d'yeux et on taillera court ; s'ils sont faibles, on conservera une baguette plus longue.

La taille en gobelet.

• La taille en **gobelet** est une conduite courte adaptée aux régions méditerranéennes : le pied de vigne, au ras du sol, à l'abri du vent, développe une végétation retombante qui protège les grappes du soleil brûlant. La mécanisation est impossible.

• La **taille Guyot** consiste à sélectionner une baguette de six à douze yeux, qui sera attachée à un fil de fer, et un courson (petit rameau qui porte deux yeux) pour la taille de l'année suivante. Un pied de vigne peut être taillé en Guyot simple ou double (deux baguettes). Cette conduite très répandue demande un palissage ; elle peut favoriser de forts rendements.

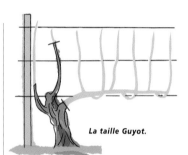

La taille Guyot.

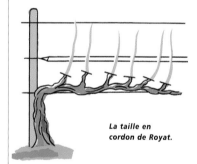

La taille en cordon de Royat.

• Taillée en **cordon de Royat**, la vigne présente un ou deux bras horizontaux (appelés cordons), avec un nombre variable de coursons. Moins productif que la taille Guyot, cette conduite offre un excellent compromis entre taille longue et taille courte.

Il existe d'autres modes de conduite, comme la taille Chablis,

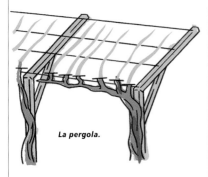

La pergola.

la taille en échalas dans l'aire d'appellation rhodanienne côte-rôtie, la pergola en Italie ou au Portugal.

La complantation

Le vigneron remplace les pieds manquants dans les vieilles parcelles.

Le travail du sol

Labourer entre les rangs aère le sol et permet à l'eau de mieux y pénétrer, enfouit les débris végétaux et les fumures, favorise la vie indigène. Il est également essentiel d'éliminer les racines superficielles exposées à la sécheresse ou à la pluie, au profit des racines profondes qui puisent les éléments du terroir. Avant l'hiver, on entasse de la terre autour du pied de vigne pour le protéger du froid : c'est le **buttage** ou **chaussage** du cep. Au printemps, on **débutte**, ou **déchausse**. Les mauvaises herbes sont éliminées.

L'épamprage

On supprime les rameaux non productifs qui partent de la souche : les gourmands.

L'ébourgeonnage

Lorsque tout risque de gelée est écarté, les bourgeons situés à la base du sarment (appelés contre-bourgeons) sont éliminés.

L'écimage

On coupe le sommet des rameaux pour combattre la vigueur de la vigne et privilégier l'alimentation des baies.

L'accolage ou liage

À mesure de leur croissance, le vigneron relève et attache les rameaux aux fils de fer du palissage.

Le rognage

On supprime des rameaux et des feuilles pour aérer le pied. Le rognage se fait en général mécaniquement. Toutefois, il faut prendre garde de ne pas retirer trop de feuilles ; celles-ci non seulement réalisent la photosynthèse qui enrichit les grappes en sucre, mais aussi permettent la transpiration de la plante.

L'effeuillage

Les feuilles situées au niveau de la grappe doivent être retirées afin de bien aérer le raisin et de diminuer ainsi les risques de pourriture. Il faut cependant éviter d'exposer directement les raisins au soleil, car ils risqueraient de griller ; c'est pourquoi le viticulteur commence à effeuiller le côté du vignoble exposé au nord pour terminer juste avant les vendanges par le côté exposé au sud.

Les traitements

Ils commencent au débourrement et se poursuivent au fil du cycle végétatif selon les alertes. Ils sont interdits dans les jours qui précèdent la vendange. Aujourd'hui, les viticulteurs cherchent à limiter l'usage des pesticides et privilégient une lutte raisonnée contre les prédateurs.

☛ *Quels sont les fléaux de la vigne ? p. 40*
Qu'est-ce que la lutte raisonnée ? p. 42

La vendange en vert ou éclaircissage

Vendanger en vert, avant ou après la véraison, consiste à couper des grappes pour diminuer le rendement, éliminer les baies mal formées ou éviter tout foyer de développement de pourriture sur des grappes serrées les unes contre les autres. Toutefois, cette opération présente un risque : souvent les raisins restants ont tendance à augmenter de volume et présentent un rapport jus-peau de moindre qualité. Elle favorise aussi la vigueur de la plante l'année suivante.

☛ *Pourquoi limiter la production ? p. 36*

Les vendanges

Les vendanges ont lieu environ cent jours après la floraison. Leur date est fixée selon la maturité du raisin et le type de vin que le vigneron désire élaborer.

☛ *Vendanger à la main ou à la machine ? p. 38*

[10] Pourquoi limiter la production ?

I est une idée largement répandue selon laquelle la vigne doit souffrir pour produire des vins de qualité. Si le vigneron doit bel et bien calmer ses ardeurs en la taillant, en l'effeuillant, en coupant les grappes en surnombre, il lui faut aussi répondre à ses besoins nutritifs, lui offrir un environnement sain et vivant.

Le rendement est le produit d'un vignoble exprimé en poids de raisin ou en volume de vin obtenu par hectare.

Petits rendements et qualité

La qualité de la vendange est inversement proportionnelle au rendement. Sur une vigne très chargée les raisins mûrissent mal ; après vinification, les arômes variétaux restent dominants avec, par exemple, des notes de pipi de chat pour le sauvignon, de poivron vert pour les cabernets. Dans ces conditions, le terroir a bien du mal à jouer sa partition. Prenez l'exemple du tannat à Madiran. Au-delà d'un rendement de 60 hl/ha, ce cépage très tannique produit des vins rustiques, astringents et acides : de quoi décourager le plus bienveillant des amateurs du Sud-Ouest. Conduit aux alentours de 40 à 45 hl/ha, il offre des vins de grande personnalité.
Pour autant, le vigneron n'obtiendra pas automatiquement une meilleure qualité en réduisant les rendements à peau de chagrin : une production de 15 ou 20 hl/ha se traduit souvent par des vins déséquilibrés, à moins, bien sûr, de récolter tardivement des raisins passerillés ou botrytisés pour élaborer des vins liquoreux.

☞ *Botrytis cinerea p. 100*

Modérer la vigueur

Une vigne dont les rameaux et le feuillage croissent abondamment est qualifiée de vigoureuse. Un excès de vigueur entraîne des risques de coulure, retarde la maturation, nuit à la reconstitution des réserves de la plante et l'affaiblit. Le vigneron obtient des raisins de qualité en privilégiant un bon équilibre entre végétation et fruit. Il lui faut maîtriser la surface du feuillage, enrichir le sol avec mesure, choisir son porte-greffe, tailler, écimer, rogner, effeuiller.

☞ *Comment cultiver la vigne ? p. 34*

Le régime de la vigne

La vigne a des besoins qu'il faut satisfaire, sans plus. La matière organique maintient l'activité microbienne dans les sols, mais elle ne doit pas libérer trop d'azote au risque d'entraîner une surproduction, un excès de vigueur et d'apporter des substances allergènes comme l'histamine ou le carbamate d'éthyle. Le meilleur apport en matière organique est le compost. Le potassium est indispensable au métabolisme de la plante, mais, en excès, il induit de forts rendements et surtout une hausse du pH des moûts de raisin, c'est-à-dire une baisse dommageable de l'acidité (*cf.* p. 63). Beaucoup de vignobles ont souffert d'un apport excessif de potasse qui sera long à disparaître. D'autres éléments tels l'acide phosphorique et le magnésium, ou des oligo-éléments comme le bore, le manganèse, le fer et le zinc ont un rôle actif ; des carences entraînent un déséquilibre et, par là même, une baisse de qualité de la production.

En rangs serrés

Produire 60 hl/ha dans un vignoble qui comprend 10 000 pieds par hectare et produire le même volume

Le vignoble de Castilla-La Mancha, en Espagne. Sur ces sols arides, les vignes sont incroyablement espacées.

dans un vignoble de 2 500 pieds, dont chacun porte quatre fois plus de raisin, sont deux choses distinctes. À la notion de rendement s'ajoute celle de **densité de plantation** : plus il y a de pieds de vignes à l'hectare, plus la compétition est grande entre les ceps et moins ils sont sujets à un excès de vigueur. La conduite du feuillage doit toutefois être adaptée à la densité pour empêcher que les rangs ne se fassent de l'ombre ; l'orientation nord-sud des rangs est la plus favorable. La densité de plantation est fonction du terroir et des conditions climatiques. En Bordelais, dans des sols de graves du Médoc, il est possible de planter jusqu'à 10 000 pieds à l'hectare, tandis que dans les sols argilo-calcaires du Libournais 6 500 pieds semblent l'idéal. Les faibles densités de 2 500 pieds, encore fréquentes en Gironde, sont

Vignes en rangs serrés autour du village de Monthélie, en Bourgogne.

très insuffisantes, mais elles facilitent la mécanisation puisque entre de larges rangs les gros engins passent aisément. En zone méditerranéenne sèche, les pieds sont plus espacés en raison du manque d'eau : il s'agit de limiter la compétition entre les vignes.

Désherber ou enherber ?

La flore adventice fait concurrence à la vigne en consommant de l'eau et en l'empêchant de se nourrir. Dans les régions méditerranéennes où l'eau est précieuse, il convient de l'éliminer totalement, alors que dans les aires viticoles plus humides elle peut être conservée partiellement.

Adopté par souci d'économie, le désherbage chimique s'est avéré catastrophique car il a détruit la vie des sols, favorisé l'enracinement superficiel, augmenté la toxicité des sols et la pollution des eaux, et fait se développer une flore résistante. Son emploi doit être réservé aux parcelles inaccessibles aux engins de labours.

La pratique de l'enherbement se développe dans les vignobles septentrionaux au climat frais. Elle consiste à cultiver de l'herbe, de la fétuque et autres graminées, entre les rangs de vigne, puis à la tondre plusieurs fois par an. On enherbe tous les rang ou un rang sur deux, en alternance annuelle.

Les avantages retirés sont nombreux : facilité de passage des engins par stabilisation du sol et donc possibilité d'intervention après la pluie (ce qui n'est pas le cas sur un sol labouré), lutte contre l'érosion, compétition raisonnée avec la vigne et maîtrise de sa vigueur, consommation de matière azotée et de potasse excessives.

L'enherbement permet ainsi de rééquilibrer un vignoble de manière naturelle.

[1 1] Vendanger à la main ou à la machine ?

Fixer la période des vendanges est la décision la plus lourde de conséquences pour le vigneron qui ne doit ni céder à son impatience de rentrer le raisin dès l'approche de la maturité, ni atermoyer. La date des vendanges dépend de la précocité du cépage, de l'état sanitaire du raisin, des objectifs de vinification.

La bonne décision

La date des vendanges est fonction de chaque cépage et de chaque parcelle. L'état sanitaire des raisins impose parfois de précipiter les vendanges pour écarter le risque de pluies susceptibles de provoquer une attaque parasitaire généralisée. Les prévisions météorologiques sont un outil essentiel, mais le vigneron doit aussi avoir des nerfs solides. Car une période ensoleillée pourrait aussi sécher les foyers de pourriture et permettre au raisin de parfaire encore sa maturité. Le dilemme est grand... Les techniques d'analyse de la maturité des polyphénols complètent avantageusement l'indispensable dégustation des baies de raisin pour fixer le début des vendanges.

☛ *Que contient un grain de raisin ? p. 30*

La main de l'homme : le souci du détail

Ils sont nombreux, toute une troupe, à envahir le vignoble et récolter parcelle après parcelle le fruit de la vigne. Les coupeurs, sécateur en main, détachent soigneusement

Le temps des vendanges dans le vignoble bourguignon de Gevrey-Chambertin.

les grappes qu'ils déposent dans des paniers, des hottes, des comportes, des bastes ou autres cagettes, suivant les régions. Les porteurs transportent les récipients en bout de rang et en vident le contenu dans des bennes, à moins que le raisin ne soit acheminé à la cave directement dans les cagettes empilées sur des remorques.

Traditionnelles et ancestrales, les vendanges manuelles respectent le raisin, en évitant tout écrasement ou dilacération ; elles permettent en outre un tri des grappes immédiat dans le vignoble. Mais la médaille a son revers : vendanger à la main prend du temps et exige une main-d'œuvre expérimentée, spécialisée, surtout lorsqu'il s'agit de récolter

des raisins botrytisés. Le coût en est élevé, d'autant que cette main-d'œuvre se raréfie. Étudiants, saisonniers, travailleurs venus des pays de l'Est ou d'Afrique du Nord composent aujourd'hui les « colles », les équipes de vendangeurs.
Dans certaines régions viticoles qui imposent le ramassage de grains ou de grappes entières, tels la Champagne ou le Beaujolais, les vendanges manuelles demeurent la seule solution. Il en va de même pour tous les grands crus prestigieux, quelles que soient les régions qui les font naître.

Le ban des vendanges

Le ban des vendanges est l'occasion de fêtes dans les régions viticoles. Autrefois, le seigneur ou les jurats locaux proclamaient par roulement de tambours l'ouverture des vendanges. Aujourd'hui, cette date est officialisée par décret préfectoral après que l'Institut national des appellations d'origine et les syndicats viticoles ont vérifié la maturité du raisin. À partir du ban des vendanges, les vignerons ont non seulement le droit de vendanger mais aussi de corriger leur moût en l'enrichissant (ajout de sucre pour compenser un manque dans la zone septentrionale, *cf.* p. 62) dans les régions qui l'autorisent.
S'ils souhaitent vendanger plus tôt, il leur faut demander une dérogation.

La machine : économique et rapide

Pour répondre à la pénurie et au coût de la main-d'œuvre, la machine à vendanger a fait son apparition dans les années 1970. Depuis, elle a connu bien des améliorations. En enjambant les rangs de vigne, elle secoue les rameaux de façon à ce que les raisins se détachent de leur rafle et tombent dans un récipient en Inox. Afin de séparer les grains des feuilles et de ne pas les blesser, le secouage et la vitesse de travail de la machine doivent être réglés avec précision et adaptés à chaque cas (cépage, maturité, charge des ceps). La machine est nettoyée et désinfectée après chaque jour de travail.
La vendangeuse mécanique présente le grand avantage de ramasser rapidement une parcelle parvenue à maturité ; il est possible de la faire fonctionner pendant la nuit pour préserver le raisin de la chaleur diurne et l'encaver dans les meilleures conditions de fraîcheur. Elle facilite donc la gestion des vendanges et s'avère bien plus économique que les vendanges manuelles, même si au départ son achat représente un investissement (les petites exploitations se groupent souvent pour la rentabiliser).
Les machines de nouvelle génération, bien conduites, respectent certes le raisin, mais le tri reste difficile. Ce n'est pas là leur seul inconvénient. Leur emploi dans les vignobles en forte pente ou en petites terrasses est impossible, et la conduite des vignes doit être adaptée à ses conditions de fonctionnement. Impossible, par exemple, de vendanger mécaniquement des ceps en gobelet : il faut les palisser, ce qui modifie paysages et lumière, et est un facteur de risques sous les climats chauds.

Vendanges à la machine dans les côtes de Gascogne.

[12] Quels sont les fléaux de la vigne ?

La vigne est attaquée de toutes parts : champignons, bactéries, virus, insectes et autres parasites. Le plus célèbre de ses ennemis est un puceron venu des États-Unis, le phylloxéra, qui dévasta les vignobles européens à la fin du XIXᵉ siècle et changea les modes de culture. Des champignons, d'origine américaine eux aussi, oïdium et mildiou, l'ont précédé ou accompagné dans la crise viticole. Aujourd'hui, la cicadelle menace.

Maladie cryptogamique : attaque de champignons microscopiques qui affecte les feuilles, les fruits ou le bois de la vigne. Sur les feuilles et les baies : mildiou, oïdium, pourriture grise (forme néfaste du *Botrytis cinerea* qui se développe sur les grappes sous un climat tiède et pluvieux), black rot, anthracnose. Sur le bois : excoriose, esca, pourridiés, eutypiose.

L'oïdium inaugure les crises

Apparu en France en 1847, l'oïdum fut le premier fléau importé du continent américain à sévir dans les vignes européennes. Ce champignon se développe à la surface des feuilles et des grappes, en les recouvrant d'une poudre grise. Les grains se dessèchent ou sont assaillis par la pourriture grise à la faveur des blessures provoquées par l'oïdium. Très tôt, la maladie a été combattue par poudrage de soufre, mais d'autres produits, organiques ou systémiques, ont été développés depuis.

Le mildiou et la bouillie bordelaise

Le mildiou, introduit d'Amérique dès 1878, se développe sous un climat chaud et humide. Ce champignon, dont le nom vernaculaire vient de l'anglais *downy*

Un excès de calcaire dans le sol provoque un jaunissement des feuilles : la chlorose.

Maladie bactérienne : maladie infectieuse due au développement de bactéries. La maladie d'Oléron se transmet par les plaies de taille, la flavescence dorée par une cicadelle.

Maladie virale : maladie infectieuse due à un virus. Court-noué (raccourcissement des rameaux et coulure, ***photo ci-dessus***), panachure et enroulement des feuilles, maladie de l'écorce liégeuse. Il faut arracher la vigne et désinfecter la parcelle. La sélection clonale a eu pour mérite d'isoler des pieds sains pour les replantations (*cf.* p. 18).

mildew (mildiou cotonneux), laisse sur les feuilles et les grappes une poussière blanche. Il peut se trouver sous-jacent dès le débourrement, car il vit à l'intérieur du tissu végétal. En 1885, Alexis Millardet, professeur à l'université de Bordeaux, découvre un remède miracle : un mélange de sulfate de cuivre et de chaux, la bouillie bordelaise. Celle-ci est le seul produit autorisé en viticulture biologique. Efficace, elle présente cependant un inconvénient majeur, celui de laisser du cuivre dans les sols. On dispose aujourd'hui de tout un arsenal chimique pour combattre le mildiou, dont des molécules systémiques qui pénètrent dans la plante et sont véhiculées par la sève.

Le phylloxéra : rien ne sera plus comme avant

1863 : un curieux phénomène est observé dans des vignes de la vallée du Rhône méridionale. Des souches s'affaiblissent puis meurent. Quelques années plus tard, Jules Planchon, professeur de pharmacie à l'université de Montpellier, découvre sur les racines de minuscules insectes jaunes. Le phylloxéra ne

> **Ravageurs** : animaux qui, en se nourrissant des baies ou des feuilles de la vigne, affaiblissent la plante. Papillons et chenilles (vers de la grappe) : cochylis, eudémis, eulia, pyrale. Coléoptères : altise, cigarier. Acariens : araignées rouges. Oiseaux.

tarde pas à se répandre, menaçant de rayer tout vignoble de la carte de l'Europe. Lui aussi vient d'Amérique, transporté par bateau avec les nombreuses plantes que l'Amérique échange alors avec l'Europe. La vigne américaine souffre de la forme aérienne de ce puceron qui provoque des galles sur ses feuilles ; la vigne européenne, de son cycle souterrain. Les Européens ont d'abord combattu le phylloxéra par injection de sulfure de carbone dans le sol ou par inondation des vignes, puis ont créé des hybrides entre vignes européennes et américaines. Rien de probant. La solution est trouvée dans les années 1880 : les cépages européens sont greffés sur des porte-greffes américains résistants. Le phylloxéra a épargné les zones de sols sableux (sables du Languedoc) et des pays comme le Chili, car ses nymphes ne peuvent s'y déplacer. Il ne semble plus devoir être un fléau dans le vignoble mondial actuel, greffé en majeure partie. Cependant, dans les années 1980, il a ravagé des vignes de Californie, dont le porte-greffe était peu résistant.

☞ *Greffage p. 16*

La cicadelle : fléau de demain ?

La cicadelle est une sorte de petite cigale originaire d'Amérique. Les arboriculteurs se méfient autant que les viticulteurs de cet insecte piqueur et suceur. En Europe, la vigne craint deux types de cicadelles : la cicadelle verte et la cicadelle dite de la vigne. La première

attaque les feuilles et provoque des nécroses (grillure) ; la seconde véhicule le virus d'une maladie dégénérescente : la flavescence dorée. Elles sont combattues l'hiver en détruisant leurs œufs, au printemps et en été par des insecticides. Les Américains connaissent une espèce vectrice d'une autre maladie virale, la maladie de Pierce, qu'ils appellent *glassy-winged sharpshooter*, littéralement « tireur d'élite » ! Cette cicadelle, responsable de lourds dégâts aux États-Unis, pourrait devenir un fléau si elle s'introduisait dans les régions méditerranéennes, dont le climat est favorable à son développement.

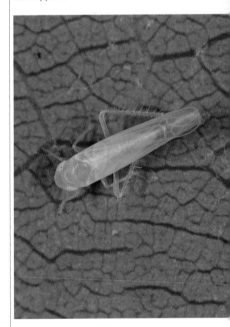

La cicadelle Empoasca Vitis.

[13] Qu'est-ce que la lutte raisonnée ?

Après des années de lutte chimique intensive, chercheurs et viticulteurs ont pris conscience de son impact sur l'environnement, la qualité des vins et la santé du consommateur. Si le principal et légitime souci du vigneron est de ne pas perdre sa récolte, celui-ci pense de plus en plus à préserver le vignoble pour le transmettre en bon état à ses successeurs.

Emploi de traitements chimiques contre les prédateurs qui vise à maintenir la pression parasitaire en deçà des risques de dévastation, sans éradication systématique.

La lutte chimique : un cercle vicieux

L'application de doses massives de produits chimiques selon un calendrier fixe de traitements était censée résoudre tous les problèmes. Or, ces fongicides et insecticides ont fait naître des résistances naturelles chez les prédateurs et des mutations des souches de champignons qui les ont rendu souvent inefficaces. Sans parler de la vie des sols, anéantie par les désherbants et les engrais, des vignes perturbées par les traitements systémiques, des risques sanitaires dus aux résidus de substances chimiques dans le vin. Certains vins en ont même perdu leurs caractères d'origine.

Les pièges à insectes : une solution pour limiter l'emploi d'insecticide.

Agir au bon moment : la raison

Dans la lutte raisonnée, le viticulteur attend que le parasite atteigne une certaine nuisibilité pour traiter avec un minimum de produits phytosanitaires. Parce que ces substances, ciblées, n'agissent que sur une seule cause, elles préservent l'environnement et, notamment, les prédateurs naturels des parasites.

La difficulté est d'identifier le seuil de nuisibilité afin de prévenir plutôt que de guérir. Le viticulteur, en observateur attentif, tient compte des stades d'évolution respectifs de la vigne et du parasite, et des données climatiques fournies par

des stations météorologiques réparties dans les parcelles du vignoble : température, pluviométrie, vents. Ces données sont comparées à des modèles de prévision informatisés qui permettent de déterminer l'action à entreprendre. Les modèles sont adaptés aux conditions locales avec l'aide des laboratoires ou des syndicats de la région.

Du raisonné à l'intégré

La suite logique de la lutte raisonnée est la lutte intégrée qui vise à préserver l'équilibre du biotope en maintenant les populations de ravageurs dans des limites acceptables pour une production économique et en protégeant les insectes pollinisateurs, comme les abeilles. Elle limite l'emploi de produits chimiques en ayant recours à des méthodes biologiques : prédateurs naturels (contre les acariens, par exemple) ou confusion sexuelle avec des capsules de phéromone (contre le vers de la grappe) qui déroutent les ravageurs et les empêchent de trouver un partenaire de reproduction.

[14] La viticulture biologique est-elle possible ?

Actuellement, seule la culture biologique de la vigne est réglementée et non l'élaboration du vin. Il n'existe pas de vin bio au sens strict, mais des vins « issus de l'agriculture biologique » ou « de raisins biologiques ». Le logo AB si familier commence à apparaître sur les étiquettes.

> Mode de culture de la vigne sans apports chimiques, par opposition à la viticulture dite conventionnelle.

Nature contre chimie

L'agriculture biologique bannit tout traitement chimique, que ce soit pour fertiliser les sols ou lutter contre les parasites. Elle respecte les sols en les travaillant, sans avoir le culte de l'herbe zéro. Selon le cahier des charges bio, le viticulteur doit appliquer à la vigne des produits d'origine végétale, mais la bouillie bordelaise (cuivre) et le soufre sont également autorisés, ce qui soulève la polémique (il ne peut y avoir plus chimique que le SO^4Cu !).

La conversion d'un vignoble à ce mode de culture demande au moins trois ans. L'agriculture biologique est sévèrement contrôlée par des organismes indépendants – dont Ecocert, le principal – qui délivrent leur label. Elle a un coût supérieur à celui de l'agriculture conventionnelle, car elle exige plus de main-d'œuvre (travaux de la vigne, vendanges manuelles) et produit des rendements inférieurs ; ses vins sont donc plus chers.

☛ *Enherbement p. 37*
☛ *Soufre p. 64*

À quand le vin bio ?

Même en bio, l'ajout de substances chimiques comme le soufre pendant la vinification est autorisé. C'est la raison pour laquelle le vin ne peut être qualifié de bio. Certains vins sont pourtant produits le plus naturellement, sans enzymes ni levures sélectionnés, avec une dose minime de soufre, voire parfois sans.

La biodynamie

Inspirée des théories controversées de l'Autrichien Rudolf Steiner au début du XXe siècle, la biodynamie est le stade extrême de la démarche biologique ; elle considère que le vignoble est un organisme vivant, soumis aux influences astrales, aux éléments – eau, air, feu –, aux forces cosmiques. Elle détermine ainsi selon des calendriers les périodes favorables aux fleurs, aux fruits ou aux racines, et recommande des traitements aussi mystérieux que la corne de vache emplie de bouse, la silice, l'ortie, dynamisées dans une eau en rotation. Il s'agit au mieux d'une homéopathie agricole qui ne fait de mal à personne, d'une viticulture mystique dans l'air du temps, au pire de croyances sectaires qui peuvent troubler un public inquiet des affaires de vaches folles ou d'OGM. Or, d'excellents vignerons, dont certains ont reçu une formation scientifique, ont adopté cette démarche.

Labour au domaine Chapoutier dans la vallée du Rhône (Tain-l'Hermitage).

On mesure alors les dégâts qu'ont pu occasionner des années de lutte chimique et de dévoiement des AOC, pour que ces vignerons brillants se laissent entraîner par cette réaction.

L'histoire n'est qu'un éternel mouvement de balancier qui a bien du mal à trouver son équilibre.

[15] Qu'est-ce que le terroir ?

Terroir, le mot est chargé d'affectif. Affection pour une terre et son produit, le vin, qui en porte les caractères. Affection pour les hommes qui le travaillent et révèlent ses qualités. Un produit du terroir est enraciné dans la civilisation d'une région.

Ensemble des facteurs de l'écosystème de la vigne : sol, sous-sol, topographie, climat, microclimat.

Une invention franco-française ?

Le terme de terroir est intraduisible en anglais, ce qui a souvent conduit les Anglo-Saxons à lui dénier toute pertinence. Pour eux, c'est le cépage qui donne en premier son caractère aux vins, suivi du savoir-faire du *winemaker*, le vinificateur. Cette attitude générale dans le Nouveau Monde est en train d'évoluer pour converger avec celle de l'Europe viticole. Les Californiens ont fait de grandes recherches sur leurs sols et commencent à délimiter des terroirs, tout comme les Australiens. Il leur reste maintenant à inventer le mot correspondant.

Une griffe reconnaissable

Comment se convaincre de la pertinence de la notion de terroir ? En dégustant des vins obtenus à partir d'un cépage plutôt neutre, comme le chasselas cultivé dans le canton de Vaud, en Suisse. Chaque parcelle produit un vin différent, expression réelle de son sol. On peut également goûter des vins de sauvignon

Comment sont nés les grands terroirs historiques ?

À une époque reculée où les moyens de transports étaient rudimentaires, la naissance des vignobles était liée à des réalités commerciales. Les vignes étaient plantées aux abords immédiats des fleuves ou des ports, ou à proximité des grands centres de consommation. Le vignoble bordelais, celui du Rhin, de la vallée du Rhône ou des Charentes en sont les meilleurs exemples. Avec l'avènement du chemin de fer et après la catastrophe phylloxérique, l'histoire n'a retenu que les terroirs qualitatifs, tandis qu'ont décliné les vignobles vivriers comme celui, immense autrefois, de la région parisienne.

obtenus à Sancerre, en Entre-Deux-Mers, à Duras, en Languedoc ou en Nouvelle-Zélande. La dégustation permet de distinguer deux types de vins : si dans les uns s'exprime le caractère variétal du sauvignon, dans les autres ce cépage pourtant hyper aromatique est dompté par son terroir. Chez un vigneron bourguignon, la dégustation des différents crus plantés du même cépage et vinifiés par le même homme est assurément l'expérience la plus probante.

Les clés du terroir
• Le sol

Le sol doit être pauvre mais équilibré. L'adage selon lequel la vigne doit souffrir pour enfanter de grands vins est partiellement erroné : elle a besoin d'être alimentée avec mesure. La vie biologique du sol, sa microfaune, favorise les échanges entre la plante et le monde minéral. Les racines y pénètrent pour y puiser régulièrement de l'eau et des éléments nutritifs. Sa nature chimique et les oligo-éléments que le sol contient ont une influence sur le goût du vin, mais c'est surtout sa structure et sa capacité de régulation hydrique qui font la différence.

☞ *Quels sont les grands types*
  de terroir ? p. 48

• La topographie

La topographie est le relief épousé par le vignoble. Une situation en pente favorise l'écoulement des eaux pluviales : ainsi les racines de la vigne ne stagnent-elles pas dans l'eau. Une bonne exposition, de sud-ouest à sud-est, favorise l'assimilation de l'énergie solaire par les feuilles. En général, les sols de coteau sont plus maigres que les sols de plaine : la vigne y est moins vigoureuse et les récoltes moins abondantes, mais de meilleure qualité.

• Le climat

Cette variable détermine les conditions de maturation du raisin. Somme de chaleur, rayonnement solaire, pluviométrie, vents font partie intégrante de la notion de terroir. Sans parler des fléaux climatiques qui bouleversent le vignoble.

☞ *Qu'est-ce que le climat ?*
  p. 54

Et l'homme dans tout cela ?

L'homme joue le rôle de révélateur : sans lui les terroirs ne seraient que potentiels. Il choisit les cépages appropriés, leur conduite, remodèle les sols en terrasses, les améliore en les drainant, en les amendant, en leur apportant de la matière organique. Un bon vigneron met les qualités de son terroir en valeur : il sélectionne les parcelles, laisse ses sols en vie, favorise l'enracinement

profond de la vigne, réduit les rendements, conduit son raisin à une maturité optimale, vinifie de manière à laisser s'exprimer ce que la vendange a de meilleur, sans écraser son vin sous un goût boisé. Un mauvais vigneron les gomme par des excès d'engrais et de dés-

herbant ou par des récoltes trop abondantes qui font ressortir les notes variétales. Le terroir est alors annihilé, et ce sont de tels vins qui donnent des arguments à ses détracteurs.

☞ *Comment cultiver la vigne ?*
  p. 34

1. Couche superficielle peu représentative du terroir : les racines superficielles absorbent les eaux de pluie ; elles sont éliminées lors du labourage.

2. Sol plus ou moins profond, à l'abri des orages violents : il alimente la vigne en eau, en éléments nutritifs et en minéraux.

3. Sous-sol perméable ou non aux racines profondes (les couches d'alios sont imperméables, le calcaire est pénétrable grâce aux fissures).

Un coteau bien exposé, des sols maigres et filtrants, un cours d'eau favorable à la création d'un microclimat : quelques-uns des facteurs de la personnalité d'un terroir.

[16] Quels sont les grands types de terroirs ?

Il n'existe pas de type de sol privilégié pour la vigne, mais plusieurs familles de terroirs favorables. Dans une même famille, les différences climatiques donnent lieu à des styles radicalement opposés : les vins de Champagne et de Jerez, deux terroirs calcaires, ne peuvent être confondus. On peut distinguer des terroirs viticoles, où la vigne mûrit naturellement ses fruits, et des terroirs artificiellement « aidés », grâce à l'irrigation par exemple.

Les graves

Reconnaître. *En Bordelais, le Médoc (margaux, saint-julien, pauillac, saint-estèphe ❶, moulis, listrac, pessac-léognan, graves).*
Plus ou moins mêlées de sable ou d'argile, les graves du Médoc et les Graves constituent des sols chauds, pauvres et filtrants qui plaisent au cabernet-sauvignon. L'épaisseur de la couche de graves et sa pauvreté déterminent bien souvent la hiérarchie entre les crus.

Les sols de graves se sont constitués au quaternaire par les apports des fleuves, Garonne, Dordogne, et autres rivières anciennes qui ont arraché aux Pyrénées et au Massif central des éléments de quartz et de granite au moment de la fonte des grandes glaciations. Roulés sur une grande distance, ces éléments affinés se sont déposés sur le socle calcaire de la rive gauche et ont été remodelés en croupes par l'érosion. On distingue les graves pyrénéennes du pliocène des graves garon-

naises de la période du günz, plus récentes. Le Médoc était à l'origine une succession d'îlots graveleux qui émergeaient d'un marécage insalubre. Il fallut attendre le XVIIe siècle pour le voir assécher sur décision de Colbert, grâce au travail d'ingénieurs hollandais.

Les argilo-calcaires

Reconnaître. *En Bordelais, le Libournais (saint-émilion, fronsac, côtes-de-castillon). En Espagne, la Rioja ❷.*
Les sols argilo-calcaires, plus froids que les graves, donnent de la fraîcheur au merlot du Libournais et au tempranillo de la Rioja. Un modelé en coteaux est un facteur de qualité pour ces terroirs.

Les argilo-graveleux

Reconnaître. *En Bordelais, pomerol ❸.*
Ces sols révèlent la finesse du cabernet franc et tempèrent la générosité du merlot pour lui

apporter beaucoup de classe. Le célèbre Petrus est assis sur un sol presque entièrement argileux, en faible pente.

Les calcaro-marneux

Reconnaître. *En Bourgogne, la Côte de Beaune ❹, la Côte de Nuits, la Côte chalonnaise et le Mâconnais.*
Associés à une pente accusée et à une exposition sud, sud-est, les sols marno-calcaires flattent le pinot noir et le chardonnay, avec une expression unique, non reproductible.

Les arènes granitiques

Reconnaître. *La vallée du Rhône septentrionale (saint-joseph, cornas, hermitage).*
En forte pente et orientés sud-est, ces sols légers et filtrants donnent de la finesse à l'expression aromatique de la syrah. Ce même cépage cultivé plus au sud s'exprime de manière totalement différente.

Les schistes

Reconnaître. *La vallée du Rhône (côte-rôtie), la Moselle, le Languedoc, Banyuls. En Espagne : Priorat. Au Portugal : la vallée du Douro (Porto).*

Chauds et maigres, les schistes conviennent au riesling mosellan qui y mûrit parfaitement. Dans d'autres régions, comme le Roussillon, ils mettent en valeur les qualités du grenache ; les cépages du Douro apprécient également ces sols.

Les cailloux roulés

Reconnaître. *La vallée du Rhône méridionale (châteauneuf-du-pape)* ❺.

Sur ces sols très chauds qui réverbèrent la lumière, on dit que le raisin vit entre « deux soleils ». Le grenache et la syrah s'en trouvent concentrés.

Les crayeux

Reconnaître. *La Champagne. En Espagne : Jerez* ❻.

Ces sols filtrants bénéficient de réserves hydriques régulières. Ils assurent un maturation de qualité au pinot noir et au chardonnay de Champagne, qui se traduit par une grande finesse dans les vins. En Andalousie, le palomino (listan) s'exprime avec une race qu'il est bien incapable de retrouver sur d'autres terroirs.

Les gréseux

Reconnaître. *L'Alsace (Guebwiller* ❼*).*

Dans sa kyrielle de types de sols, l'Alsace possède des terroirs gréseux

où les riesling, pinot gris et gewurztraminer s'expriment avec finesse. La topographie en pente et l'exposition déterminent aussi la qualité des terroirs.

Les volcaniques

Reconnaître. *La Californie. Les îles Canaries (Lanzarote)* ❽.

Sur ces sols légers et filtrants, le cabernet-sauvignon s'exprime avec une réelle personnalité. Il est impératif de prendre en compte le facteur climatique pour identifier les cépages adaptés à telle ou telle aire de la Californie. L'absence de pluies pendant près de six mois conduit à irriguer la vigne.

[17] Terroirs et cépages : quels sont les couples célèbres ?

Les vignobles ont leurs célébrités, des couples mythiques presque, formés par un sol et un cépage sous un climat bienveillant. Ils donnent naissance à des vins de forte personnalité, nulle part ailleurs égalés. Au vigneron de préserver l'harmonie de leur union par une culture adaptée et une vinification respectueuse.

Graves et cabernet-sauvignon

Avec sa forte personnalité aromatique et sa structure, le cabernet-sauvignon est facile à reconnaître et son style s'est imposé auprès des consommateurs. La mode des vins de cépage, sa relative facilité à accepter les hauts rendements et son aptitude à supporter les élevages sous bois ont fait le reste. C'est un grand voyageur qui donne de bons vins en toute situation, mais il ne s'exprime avec finesse et race que sur des terroirs bien particuliers. Le cabernet-sauvignon est un plant tardif qui a besoin de sols chauds et filtrants pour mûrir harmonieusement. Dans les graves de la rive gauche de la Gironde, sous un climat tempéré à tendance océanique, il trouve des conditions idéales pour ses racines : chaleur et alimentation en eau régulière. Les graves évacuent facilement l'eau de pluie des orages, tandis que le sous-sol argileux ou calcaire atteint par

Le cabernet-sauvignon représente 80 % de l'encépagement du château Mouton-Rothschild, premier cru classé du Médoc (Pauillac).

les vieilles vignes les préserve de la sécheresse.

En revanche, en Libournais, notamment dans les aires de saint-émilion et de pomerol, le cabernet-sauvignon a du mal à atteindre une maturité phénolique complète sur les sols plus froids, argilo-calcaires ou franchement argileux. Seule la bande de graves où sont campés les châteaux Cheval Blanc, Figeac,

l'Évangile et d'autres crus se prête à sa culture.

Ailleurs, sa réussite est conditionnée par un climat assez chaud, mais pas trop pour ne pas brûler ses arômes, avec une alimentation en eau régulée. Les climats excessivement chauds le rendent généreux mais sans grande race ; l'irrigation californienne ou chilienne est un moyen « d'aider » la nature.

☞ *Quels sont les grands
cépages rouges ? p. 20
Quel est le rôle de l'eau ? p. 57*

Argiles et merlot

Le merlot est un cépage plus précoce que le cabernet-sauvignon ;
il mûrit plus vite et peut donner des
rendements très abondants. Il est
donc possible de le planter sur des
sols plus froids et plus humides.
En Médoc on lui réserve les bas de
croupe, plus riches en argile, car les
sols plus secs suscitent des grains
trop petits.
En Libournais, sa terre de prédilection est l'argilo-calcaire : il y développe une finesse rare, surtout en
bordure du plateau calcaire. Sur la

partie argileuse de Pomerol, la fraîcheur des sols et leur forte rétention
d'eau favorisent une maturation
lente du cépage qui produit alors
des vins d'une grande complexité
contrastant avec la simplicité des
merlots récoltés ailleurs. Des vins
aptes à de longues gardes, qui
allient rondeur et velouté avec une
grande expression aromatique.

Schistes et grenache

Le grenache est un cépage capable
du pire et du meilleur. Très sensible
à la coulure, peu coloré, il donne
des vins alcooleux, sans finesse ni
structure si on laisse ses rendements
s'envoler. Bien adapté à la sécheresse, il résiste aux vents forts

*Banyuls. L'extrême pauvreté des sols
schisteux, aménagés en terrasses,
limite naturellement le rendement
du grenache. C'est ici que s'exprime
au mieux la palette aromatique
du cépage, en particulier les notes
minérales et la touche de cacao.
À Banyuls, on utilise la faculté
oxydative du cépage pour élaborer des
vins doux naturels élevés à l'air libre,
parfois au soleil. Ce qui pourrait être
un défaut ailleurs définit ici un style
incomparable.*

comme le mistral s'il est taillé en
gobelet, à ras du sol.
Il est aussi capable d'enfanter de
grands vins lorsqu'il est conduit à
faibles rendements sur les sols de

En Champagne, le chardonnay trouve des sols crayeux favorables à une expression tout en finesse et en fraîcheur.

galets roulés de la vallée du Rhône, en particulier à Châteauneuf-du-Pape et à Gigondas, ou sur des sols de schistes filtrants dont les meilleurs exemples se rencontrent en Roussillon, à Maury ou à Banyuls, producteurs de vins doux naturels complexes, ainsi qu'en Catalogne espagnole dans le Priorat (vins rouges secs). Le grenache produit alors des vins très colorés, denses, charnus et aromatiques. Son principal défaut est une tendance à l'oxydation, compensée par l'assemblage avec des cépages réducteurs comme le mourvèdre, la syrah ou le carignan.

Craie et chardonnay

Les meilleurs chardonnays proviennent de régions à sol calcaire sous un climat frais qui leur permet de conserver de l'acidité. Dans ces sols qui jouent le rôle de mèche pour une alimentation régulière en eau, le chardonnay trouve des conditions de maturation lente favorisant la finesse aromatique.

Il en est ainsi en Champagne crayeuse où le cépage possède en outre une nervosité qui convient bien à l'élaboration des vins effervescents. Dans les calcaires et marnes bourguignonnes, il acquiert du corps, de la puissance, une grande aptitude à la garde et surtout une réelle personnalité, avec une fraîcheur qui décroît quand on passe de Chablis, au nord, à Mâcon, plus au sud. C'est dans cette région que le fruit du chardonnay est le plus pur. Dans le Limouxin (Languedoc), nés sur des terrasses de calcaire dur dégradé, ses vins reflètent les variations climatiques de la région. Sous des climats chauds l'acidité lui fait cruellement défaut : ses vins paraissent souvent lourds, d'autant que pour ressembler à leur modèle bourguignon, les chardonnays du Nouveau Monde font une fermentation malolactique et sont élevés

Sur le coteau granitique de l'Hermitage, la syrah produit des vins puissants, riches d'arômes de violette et de fruits rouges.

en barrique. Pour des consommateurs néophytes la caractéristique du chardonnay est d'être beurré et toasté, alors que ce ne sont là que des arômes d'élevage.

☛ *Quels sont les grands cépages blancs ? p. 24*
Fermentation malolactique p. 59

Granite et syrah

En réalité, deux types de sols conviennent à la syrah : les arènes granitiques, sables fins dégradés des roches de granite (hermitage, saint-joseph, cornas dans le Rhône), et les schistes (côte-rôtie dans le Rhône, faugères en Languedoc, terroirs du Roussillon). Ces sols sombres emmagasinent la chaleur ; perméables, ils évacuent l'eau en excès ; pauvres, ils empêchent la syrah de produire en trop. Associés aux coteaux très pentus de la vallée du Rhône septentrionale, ils favorisent une maturation lente mais poussée du cépage qui produit ainsi des vins à la fois mûrs et finement aromatiques. Les tanins puissants de la syrah prennent dans ces conditions un beau lissé de grain. Sur d'autres sols et sous un climat plus chaud, la syrah acquiert des arômes brûlés, voire caoutchoutés, plutôt grossiers et ses tanins gardent de l'astringence.

Dans la Barossa Valley australienne, la syrah produit des vins de qualité.

[18] Qu'est-ce que le climat ?

La vigne pousse dans les deux hémisphères, sous des climats divers, mais plutôt tempérés. Si sa préférence va historiquement aux régions méditerranéennes, elle a su s'adapter à d'autres conditions en cherchant la protection d'un relief, d'un cours d'eau ou d'une forêt, ou bien en gagnant de l'altitude pour trouver la fraîcheur.

Conditions atmosphériques caractéristiques d'une région donnée : température, précipitations, humidité de l'air, vent, insolation.

Les clés du climat

Il ne faut pas confondre le climat, qui est un résumé statistique des conditions naturelles dans une région précise, avec la météorologie du lieu qui est un instantané des mêmes paramètres. Le climat d'une zone viticole est défini par :

• Des moyennes de températures, maximales et minimales, en général exprimées par mois.
• Des sommes de températures cumulées qui constituent un indice précieux pour comprendre la maturation du raisin.
• Des moyennes de précipitations mensuelles.
• Le régime des vents, force et orientation.
• Le nombre moyen de jours de brouillard, de gelées, d'orages à grêle.

Ces moyennes sont calculées sur de longues périodes, souvent de trente ans.

Les climats viticoles

• **Le climat atlantique.**
Muscadet, Anjou, Bordelais, Sud-Ouest, Galice, Portugal.

En Suisse, dans le canton du Valais, la vigne est plantée à flanc de coteaux pour profiter de l'orientation des rayons du soleil.

Les températures douces sont le gage d'une bonne maturation. La pluviométrie est importante. En Bordelais, la qualité des millésimes dépend du moment où tombent les pluies provoquées par les équinoxes d'automne.

• **Le climat continental.**
Champagne, Bourgogne, Centre, Allemagne, Autriche, Hongrie.
Les hivers sont froids, les étés chauds et secs, parfois arrosés par les incursions atlantiques.

La chaleur continentale est atténuée par la latitude des régions viticoles.

• **Le climat méditerranéen.**
Provence, Languedoc-Roussillon, vallée du Rhône méridionale, Espagne, Italie, Grèce, Maghreb, Californie du Nord, Afrique du Sud, Chili (Valle Central), Australie-Méridionale.
Sur le pourtour méditerranéen, on distingue la rive nord qui connaît deux périodes de sécheresse, en

hiver et en été, de la rive sud marquée par une grande sécheresse estivale. En été, seuls quelques orages apportent de l'eau. La vigne est généreuse, mais peut parfois se bloquer par manque d'eau.

• Le climat montagnard.

Piémont, Jurançon, Jura, Savoie, Suisse.
L'altitude bouleverse le climat général ; les expositions sur les versants sont essentielles au bon développement de la vigne.

Le microclimat

À l'intérieur d'une région définie par un climat, des caractéristiques météorologiques singulières peuvent se manifester localement : c'est le microclimat. L'altitude, l'orientation des pentes, les vents, la nature des sols, la présence de nappes d'eau à proximité, de massifs forestiers ou de reliefs sont autant de facteurs qui créent des conditions de culture de la vigne spécifiques en un point précis. Sans la présence de la rivière Ciron à Sauternes il n'y aurait pas de vins liquoreux. Sans le lac Léman, pas de vignobles en Suisse romande. Sans l'effet de fœhn, pas de vins liquoreux à Jurançon. L'exemple le plus frappant est bien celui de l'Alsace. Protégé des vents humides atlantiques par la barrière des Vosges qui bloque les pluies sur son versant ouest, son vignoble est l'un des plus secs de France : il pleut moins à Colmar qu'à Perpignan !

Pour un bon millésime

Il ne faut jamais oublier que la vigne est une plante bisannuelle et que les conditions météorologiques d'une année influent sur le cycle végétatif suivant, en particulier sur la « sortie » des raisins. Un hiver froid favorise l'aoûtement des bois et l'assainissement du vignoble. Les pluies de printemps sont les bienvenues pour constituer des réserves dans le sol.

Des chaufferettes sont placées dans le vignoble pour lutter contre le gel dans certaines régions septentrionales.

En juin, la floraison doit se dérouler sous des températures clémentes, mais surtout échapper aux pluies, sous peine d'avortement des fleurs, suivi de coulure (perte de grains) et de millerandage (très petits grains). D'avril à juillet, la vigne a besoin

Changements climatiques

Nous assistons depuis quelques années aux premiers signes d'un réchauffement climatique, attribué aux émissions de gaz carbonique qui accroît l'effet de serre. Si l'on ne peut encore déterminer l'ampleur de ces modifications on peut en projeter les conséquences viticoles : faudra-t-il planter du grenache en Médoc et du cabernet-sauvignon à Londres ? À mois que ces changements ne s'inscrivent dans les cycles naturels de la planète, qui a vu le Sahara couvert de forêts ou les glaciers atteindre Paris, bien avant que l'homme ne se mette à polluer.

d'une alimentation régulière en eau, de températures modérément élevées et d'un nombre important d'heures d'ensoleillement, gage de bonne synthèse de la couleur.

Au mois d'août, après la véraison, une période de sécheresse relative, mais sans déficit, est préférable. Les journées de grande chaleur accélèrent le processus, mais ce sont les écarts thermiques entre le jour et la nuit qui conditionnent une maturation harmonieuse. Un temps sec est fortement recommandé pour vendanger ; qu'un vent de dernière heure souffle sur les vignes et la concentration du raisin n'en sera que meilleure.

Les accidents météorologiques comme les gelées de printemps ou les orages à grêle peuvent compromettre un millésime par ailleurs favorable. Divers indices climatiques rendent compte de ces conditions et permettent de classer les millésimes selon leur qualité.

☛ *Comment pousse la vigne ?*
p. 28
Qu'est-ce qu'un millésime ?
p. 130

[19] Les grands vins naissent-ils de l'extrême ?

L'habitat naturel de la vigne se situe entre les 30ᵉ et 50ᵉ parallèles Nord et les 30ᵉ et 40ᵉ parallèles Sud. À l'intérieur de ces zones, le climat tempéré est le plus favorable à la production de vins fins. Toutefois, le berceau des grands vins est plus singulier encore : il se situe à une frontière au-delà de laquelle leurs cépages ne pourraient plus prospérer. Une aventure extrême...

Climat tempéré et millésime

La clé du succès sous un climat tempéré réside dans l'absence d'écarts importants dans la répartition annuelle des températures et des précipitations, et dans des conditions de maturation du raisin les plus douces possible avec alternance de nuits fraîches et de journées chaudes. Cependant, ce climat présente une grande variabilité météorologique

Le vignoble alsacien (ici Zellenberg), à la limite Nord de la culture de la vigne en France.

due aux perturbations qui circulent dans cette zone de la planète. D'où la notion de millésime inconnue des régions dont le climat est quasi constant.

☛ *Qu'est-ce qu'un millésime ?*
   p. 130

Aux limites septentrionales

L'histoire viticole de l'Europe a montré que les grands vins naissent à la limite Nord des possibilités de culture d'un cépage donné, sur un terroir capable de le mener à maturité les bonnes années. Le cabernet-sauvignon ne parvient pas tous les ans à parfaite maturité dans le vignoble bordelais, alors qu'il mûrit chaque année en Languedoc ou en Californie. Pourtant, il donne des vins d'une extrême finesse en Médoc dans un bon millésime et des vins de bonne qualité, mais beaucoup moins complexes dans le Midi. La réussite tient à la lenteur de maturation, dans une pluviométrie faible mais régulière, dans la pauvreté du terroir et le savoir-faire des hommes porté à son excellence dans des conditions difficiles.

Le merlot donne le meilleur de lui-même en Libournais, le pinot noir et le chardonnay en Bourgogne, la syrah dans la vallée du Rhône septentrionale, le viognier à Condrieu, le riesling en Alsace et outre-Rhin en Moselle ou dans le Rheingau. Ces mêmes cépages plantés plus au sud ne peuvent prétendre les égaler. En revanche, les vins modèles sont tributaires du millésime : ils peuvent être remarquables une année, décevants une autre.

Reproduire les grands vins : mission impossible ?

Il serait possible de produire de grands vins sous d'autres horizons à condition de trouver des conditions naturelles comparables. Cependant, il n'existe nulle part ailleurs sur la planète une zone, viticole ou non, qui se caractérise par des sols de graves arrachées au quaternaire à une montagne tertiaire et roulées par un fleuve sur 250 km, enchâssée entre un estuaire océanique et une forêt de pins, sous un climat tempéré à influence atlantique, comme le Médoc.

[20] Quel est le rôle de l'eau ?

L'eau est essentielle à l'alimentation des plantes. Absorbée par les racines et les feuilles, elle véhicule les éléments nutritifs vers les cellules et participe aux fonctions métaboliques. La vigne se montre certes résistante à la sécheresse, ce qui lui permet de pousser sous des climats de type méditerranéen, mais une absence prolongée d'eau est néfaste à la qualité du raisin et donc des vins.

> L'eau alimente la plante à partir des éléments contenus dans le sol. Son apport doit être régulier.

Chercheuse d'eau

Les racines de la vigne puisent l'eau dans le sol, à partir des réserves constituées lors des pluies ou indirectement par l'apport des nappes phréatiques. Certains sols retiennent mieux l'eau que d'autres, telles les argiles ; d'autres sont plus filtrants telles les graves. Des sous-sols comme les roches calcaires jouent un rôle de mèche et alimentent les racines en eau profonde. Si la vigne a besoin d'eau lors de sa phase de croissance, elle préfère une sécheresse relative pendant sa maturation et déteste les pluies au moment des vendanges.

Tout est dans la mesure

Le raisin mûrit d'autant mieux que l'alimentation de la vigne en eau est régulière. Les grands vins naissent de ceps qui ont connu un stress hydrique modéré. Une trop longue période de sécheresse peut causer un blocage de la maturation, l'arrêt de production de sucres dans la baie ou des polyphénols : les anthocyanes responsables de la couleur et les tanins qui donnent la structure. Trop d'ensoleillement direct provoque en outre un grillage des raisins. *A contrario*, un excès de pluie fait gonfler les baies et dilue les jus. Le rendement augmente, mais la concentration du vin en est affectée. De plus, un excès d'humidité favorise le développement de la pourriture grise.

Quand certains drainent...

Pour évacuer les eaux qui stagnent au niveau des racines et les suralimentent, voire les asphyxient, il faut poser des drains qui conduisent l'excédent vers des fossés. Les grands crus du Bordelais ont depuis longtemps « aidé » la nature en drainant leur vignoble.

Irrigation des vignes à Mendoza, en Argentine.

... D'autres irriguent

Des pays comme l'Espagne, la Californie ou le Chili connaissent des étés torrides pendant lesquels pas une goutte de pluie n'alimente la vigne. L'irrigation est indispensable à la production de raisin, mais on peut se demander si ces terroirs sont naturellement viticoles. Il existe différents modes d'irrigation : inondation, canons arroseurs, goutte-à-goutte. En France, cette pratique est interdite, sauf dérogation exceptionnelle pour des vignobles méridionaux et pour les jeunes plantiers.

[21] Pourquoi trier le raisin ?

L e tri consiste à séparer les raisins ou grappes saines et mûres des parties altérées ou vertes. Les altérations sont souvent dues au champignon *Botrytis cinerea* qui recouvre les baies de pourriture. Trier est l'une des conditions nécessaires à l'élaboration de grands vins.

Autour de la table de tri au château Cos d'Estournel (AOC saint-estèphe).

Quand trier ?

Pendant les vendanges. Il convient d'éliminer les reverdons ou verjus, petites grappes en retard, encore immatures au moment de la récolte et qui pourraient donner des goûts herbacés. Cette opération s'avère difficile pour les cépages rouges car, après la véraison, tous les raisins sont colorés. Il faut les enlever quand les différences de couleur sont encore perceptibles, grâce à des vendanges en vert.

☛ *Comment cultiver la vigne ? p. 34*

Dans la vigne ou à la cave

Il faut trier le plus tôt possible après la cueillette pour éviter que les parties saines des grappes ne soient contaminées par les parties altérées, et avant tout éclatement des baies. Certains vignerons privilégient le tri dans la vigne : les coupeurs apportent leurs paniers en bout de rang

Vendanges à la machine : tri épineux !

Il est presque impossible de trier lors de vendanges mécaniques, dans la mesure où les raisins arrivent à la cave séparés de leur rafle. On peut toutefois enlever tous les organes verts ramassés par la machine, les feuilles en particulier. L'idéal serait de nettoyer les parcelles promises à la machine, ce qui ne peut se faire que... manuellement ! Des matériels récents (triebaie) ont été développés pour effectuer un tri des vendanges mécaniques.

et les déversent sur une table montée sur une remorque où plusieurs personnes procèdent au tri. Seuls les raisins sélectionnés sont transportés à la cave.

Plus commodes, les tapis de tri à l'entrée de la cave reçoivent la vendange dès son arrivée. Ils défilent à une vitesse variable selon l'état sanitaire des raisins et donc selon la difficulté de tri. Trier à la cave implique un temps de transport réduit depuis la vigne et l'utilisation de petites cagettes pour éviter d'écraser le raisin.

Après l'éraflage : souci de perfection

Les perfectionnistes trient une seconde fois après éraflage pour éliminer toute partie végétale, bouts de rafles, pétioles, parfois à l'aide d'une table vibrante. Dans ce cas, on ne foule pas le raisin au sortir de l'érafloir.

☛ *Foulage p. 68 et 70*

[22] Qu'est-ce que la fermentation ?

La fermentation est un phénomène naturel et spontané. Il suffit d'observer le devenir d'un jus de fruit frais ; après un certain temps, il se met à « bouillir », à chauffer, son goût devient moins sucré. Beaucoup d'aliments sont issus d'une fermentation, tels le pain, le fromage, la bière et le vin.

Processus biologique par lequel les levures transforment le sucre en alcool et en gaz carbonique.

Des levures et du sucre

La fermentation est due à l'action des levures, champignons microscopiques, et des bactéries sur des composés fermentescibles, les sucres en particulier. Quels sont ces sucres ? Le fructose et le glucose des fruits, d'une part. L'amidon de céréales comme l'orge, d'autre part, transformé en sucres par des enzymes (cas de la bière).

Bonnes et mauvaises fermentations

On distingue la fermentation levurienne de la fermentation bactérienne. Puis, les fermentations souhaitables des fermentations pathogènes. Les fermentations alcoolique (levurienne) et malolactique (bactérienne) sont utiles, alors que la piqûre lactique (bactérienne) et l'action des levures *Brettanomyces* altèrent le vin. Lorsque des enzymes (des protéines) agissent à l'intérieur des cellules, on parle de fermentation intracellulaire.

☞ *Qu'est-ce que la macération ? p. 67*
Quelles sont les maladies du vin ?
p. 106

La fermentation alcoolique

C'est la transformation des sucres du raisin en alcool par les levures. Gay-Lussac formule ainsi la fermentation : sucre ➡ éthanol + gaz carbonique, mais il n'identifie pas les autres produits qui apparaissent lors du processus. Or, ces produits secondaires, cachés dans le raisin, forgent l'identité du vin : arômes, glycérol, acides, esters, alcools supérieurs.

La fermentation malolactique

C'est la transformation de l'acide malique du raisin, dur, en acide lactique, plus souple, par des bactéries, avec dégagement de gaz carbonique. Cette seconde fermentation (la « malo ») baisse l'acidité du vin, concourt à sa stabilisation et modifie sa palette aromatique. Toujours réalisée dans les vins rouges, elle peut être recherchée, comme en Bourgogne, ou évitée dans les vins blancs (bloquée par une forte acidité et ajout de soufre). Elle doit s'effectuer avant la mise en bouteilles, sous peine d'altération. On peut la déclencher par ensemencement avec des bactéries sélectionnées en remontant la température.

Ils ont percé le mystère de la fermentation...

1789 Antoine Laurent de Lavoisier (*Traité élémentaire de chimie*) identifie le gaz carbonique.

1815 Louis Joseph Gay-Lussac écrit l'équation de la fermentation alcoolique.

1835 Le physicien Cagniard de Latour et le botaniste Turpin identifient les levures dans le phénomène de fermentation.

1863 Louis Pasteur distingue le rôle des levures de celui des bactéries. Il découvre que les micro-organismes nuisibles peuvent être détruits par la chaleur : la pasteurisation.

1950 Jean Ribéreau-Gayon et Émile Peynaud (université de Bordeaux) expliquent la fermentation malolactique.

[23] Comment se déroule la fermentation ?

Les levures réalisent d'autant mieux leur ouvrage qu'elles bénéficient d'air et d'une juste température ; un coup de froid comme un coup de chaud leur seraient fatals. Il existe des espèces variées de levures, de formes différentes, mais il en est une qui fait toute la différence.

La vitesse de la fermentation dépend de la température et de l'activité des levures. Il faut entre 16,2 et 18 g de sucre par litre de jus pour produire un degré d'alcool.

Avec les bonnes levures

La peau du raisin est riche en **levures indigènes**, ou naturelles, fixées par la pruine, sauf si des traitements excessifs ont été effectués à la vigne. Ces levures sont d'espèces variées, certaines de

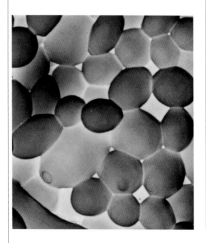

qualité, d'autres franchement néfastes pour le goût du vin. La nature n'est pas « toute bonne », n'en déplaise aux rousseauistes et autres intégristes du bio. Seules les levures *Saccharomyces cerevisiae*, qui servent aussi à la fabrication du pain et de la bière, sont aptes à conduire une bonne fermentation. Il faut donc ne garder qu'elles en ajoutant une faible dose de soufre (SO_2) à la vendange.

L'autre source naturelle de levures est l'ensemencement de la cave de vinification où les souches de *Saccharomyces cerevisiae* peuvent prendre le pas sur toute autre population.

Il est possible de cultiver les *Saccharomyces cerevisiae* en laboratoire et de les commercialiser sous forme déshydratée. Ces **levures sélectionnées**, ou « levures sèches actives » (LSA), offrent une sécurité et facilitent un départ rapide en fermentation.

Levures **Saccharomyces cerevisiae** *vues au microscope.*

Elles ont été retenues pour leurs particularités et leur pouvoir alcoogène ; certaines modifient considérablement la palette aromatique des vins, avec apparition d'arômes amyliques (bonbon anglais, banane) parfois recherchés dans les vins dits technologiques. Il existe heureusement des levures neutres qui respectent le caractère des vins.

Au bon rythme

Une fermentation rapide induit moins de composés secondaires et d'acidité volatile. Trop rapide, elle fait perdre du fruité au vin.

Au contraire, une fermentation lente favorise une plus grande complexité, mais elle comporte des risques de déviation et d'oxydation. Pour faciliter un départ rapide de la fermentation, le vigneron prépare avec les premiers raisins entrés à la cave un **pied-de-cuve** : une petite quantité de moût en fermentation sert à ensemencer les autres cuves, à la manière d'un levain.

Dans tous les cas, la multiplication et l'activité des levures doivent être favorisées dès le départ pour inhiber les bactéries. Il faut leur apporter de l'oxygène, en effectuant des soutirages à l'air en début de fermentation (en prélevant du vin de la cuve), parfois en ajoutant des nutriments azotés comme des sels d'amonium ou des vitamines. Le milieu initialement riche en sucre est favorable au travail des levures. Mais au fur et à mesure de la fermentation, des conditions apparaissent qui ralentissent, voire arrêtent leur activité. La formation d'alcool est la principale cause de ce ralentissement.

Lorsque la fermentation s'interrompt alors qu'il reste encore des sucres dans le moût, les bactéries ont le champ libre pour transformer les sucres restants en acidité volatile. Il y a danger ! Le vinificateur peut essayer de la faire repartir à l'aide de levures dites finisseuses (espèce *bayanus*) sous une température optimale.

Comment suivre le déroulement de la fermentation ? En mesurant à intervalles réguliers la température et la densité du moût de chaque cuve. Le maître de chai établit un schéma de suivi des vinifications en portant sur un même graphique les variations de ces deux paramètres. L'objectif est d'arriver à un vin presque exempt de sucres fermentescibles, contrôlé par une analyse en laboratoire. Les vins secs contiennent moins de 4 g par litre de sucres résiduels, c'est-à-dire non fermentés.

À bonne température

La fermentation s'accompagne de dégagement de chaleur qui fait monter la température des moûts. Si cette température dépasse 35 °C, les risques d'arrêts de fermentation sont élevés. La régulation de la température est un facteur de réussite déterminant. Pour les vins blancs, il est préférable de maintenir la température en dessous de 18-20 °C pour garder de la fraîcheur aromatique et éviter les composés aromatiques lourds. Pour les vins rouges, une température de 28 à 32 °C permet d'extraire les composés phénoliques : couleur et tanins.

Lorsque le vigneron rentre des vendanges froides à la cave, cas fréquent dans les régions septentrionales, il est parfois amené à réchauffer ses cuves pour démarrer la fermentation.

Et sous contrôle

Cauchemar des anciens vinificateurs, les élévations de température ont parfois gâché des millésimes aussi prestigieux que 1982 ! Autrefois, la seule solution consistait à écouler le vin en fermentation dans une cuve vide et donc plus froide, à ajouter des pains de glace dans la cuve, à faire ruisseler de l'eau à sa surface. Les cuves en bois ou en béton sont celles qui présentent le plus d'inertie thermique. Aujourd'hui, le contrôle des températures – la thermorégulation – est devenu plus sophistiqué. Des échangeurs thermiques tubulaires à

Il est nécessaire de contrôler régulièrement la température du moût pendant sa fermentation.

ruissellement d'eau permettent de refroidir le moût à l'extérieur des cuves ; on peut leur adjoindre des drapeaux ou des serpentins intérieurs dans lesquels circule un liquide réfrigérant. Les cuves en acier inoxydable modernes comportent des anneaux périphériques qui jouent le même rôle. Le *nec plus ultra* consiste à faire circuler de l'eau chaude ou froide à volonté. Cette régulation peut être automatisée et informatisée, mais rien ne remplace l'attention du maître de chai.

[24] Pourquoi corriger la vendange ?

À la différence des contrées méridionales ou des vignobles du Nouveau Monde qui pratiquent l'irrigation, les régions septentrionales et atlantiques connaissent des variations climatiques notables ; leurs vendanges présentent donc une composition très différente d'une année à l'autre : plus ou moins riche en sucres ou en acidité. Il faut parfois corriger le moût de raisin.

Plus de sucres, plus d'alcool

Dans l'Antiquité déjà, on ajoutait du miel au vin pour l'adoucir. Mais c'est un chimiste qui souligna l'intérêt d'ajouter du sucre dans le moût pour en augmenter le titre alcoométrique. Auteur de l'*Art de faire du vin* en 1801, Jean Antoine Chaptal donne son nom à cette pratique qu'il a promue mais non inventée : la chaptalisation.

Parfaitement codifiée, l'opération s'effectue au début ou en cours de fermentation, avec aération du moût. Il existe plusieurs modes d'enrichissement : soit par du sucre (saccharose), soit par du moût concentré ou encore par du moût concentré rectifié (purifié).

Du sucre, oui, mais pas n'importe où

La réglementation européenne a découpé le vignoble de l'Europe en zones climatiques dans lesquelles les pratiques de correction autorisées ne sont pas les mêmes. L'augmentation du degré alcoolique par enrichissement est interdite dans les vignobles les plus méridionaux (Provence, sud de l'Espagne, Portugal, Italie, Grèce) n'ont pas droit à la chaptalisation.

En France, dans les zones concernées, les vins AOC peuvent être enrichis en saccharose, mais l'emploi de moûts concentrés est interdit, à moins qu'ils ne proviennent de la même aire délimitée. Chaptaliser et concentrer les mêmes moûts est prohibé, de même que les chaptaliser et les acidifier. Dans ces régions, les bons vignerons, aidés par le réchauffement climatique, ne chaptalisent que rarement.

Moins d'eau, plus de concentration

Concentrer signifie éliminer une partie de l'eau contenue dans le raisin pour ne garder que les meilleurs composants. Il existe plusieurs méthodes.

• L'*osmose inverse* consiste à exercer une forte pression (80 bars) de façon à faire passer l'eau à travers une membrane semi-perméable et à retenir les autres molécules. Issue des techniques de désalinisation de l'eau de mer, l'osmose inverse permet de concentrer le moût de raisin pour le concentrer quand des pluies abondantes ont affecté les vendanges.

• Dans la *concentration par évaporation*, on fait évaporer (et non bouillir) une partie de l'eau du moût, soit sous pression atmosphérique, soit – ce qui est mieux – sous vide, à température ambiante. Ces techniques ne peuvent être appliquées qu'à des vendanges saines, sous peine de concentrer les faux goûts.

• Un mode spécifique de concentration, la *cryo-extraction* (par le froid) permet de reproduire artificiellement les conditions de production des vins de glace : les raisins sont congelés dans des chambres froides afin que seule la partie la plus sucrée des baies reste liquide et s'écoule du pressoir. Cette technique s'applique surtout à l'élaboration de liquoreux.

☛ *Que contient un grain de raisin ? p. 30*

☛ *Qu'est-ce qu'un vin liquoreux ?*
   p. 100

Plus d'acidité

L'acidité peut être corrigée à la hausse comme à la baisse. Traditionnellement, la correction s'effectue lors de l'assemblage, en mariant les divers lots provenant de cépages ou de parcelles différentes.

☛ *Qu'est-ce que l'assemblage ?*
   p. 82

Certaines régions viticoles ont constaté une baisse de l'acidité des moûts, baisse attribuée à des surfertilisations en potasse et à certains porte-greffes. Aussi ont-elles parfois été tentées d'abuser de l'acidification. Rétablir l'équilibre du vignoble demande du temps, mais s'avère absolument nécessaire ; l'enherbe-

Mesurer l'acidité d'un vin

L'acidité du vin est quantifiée par dosage chimique et par équivalence soit en acide sulfurique (en France), soit en acide tartrique (pays anglo-saxons). On peut mesurer l'acidité fixe, l'acidité volatile ou l'acidité totale. Le pH (potentiel Hydrogène) est une mesure indicatrice de la teneur en ions hydrogène. Un pH de 7 correspond à une solution neutre comme l'eau. En dessous à une solution acide, au-dessus à une solution basique. Le pH d'un vin se situe entre 2,9 (très acide) et 4,2 (très peu acide).

Lorsque la vendange manque de sucre, il est possible d'en ajouter dans le moût en fermentation pour obtenir le degré d'alcool souhaité.

ment des sols est un bon moyen de consommer l'excès de potasse (cf. p. 37).
Quand on récolte des raisins surmûris, on obtient des moûts riches en sucres, mais pauvres en acidité. Une solution naturelle est de vendanger le raisin avant maturité, ce qui est possible pour les cépages blancs cultivés dans des régions chaudes. On peut aussi ajouter des grappillons verts pour augmenter l'acidité. Par ailleurs, empêcher la fermentation malolactique des vins blancs permet de garder de l'acidité et de la fraîcheur aromatique. L'acidification artificielle consiste à ajouter de l'acide tartrique, de préférence en fin de fermentation.

Seuls les vignobles les plus méridionaux peuvent acidifier leur moût.

Moins d'acidité

Il est parfois nécessaire de désacidifier les moûts de vendanges insuffisamment mûres ou de cépages très acides, comme le gros manseng de Jurançon dans le Sud-Ouest. Une désacidification naturelle et biologique se réalise lors de la fermentation malolactique qui transforme l'acide malique en acide lactique, moins dur. La désacidification artificielle des moûts s'effectue au moyen de carbonate de calcium, de bicarbonate de potassium, de tartrate neutre de potassium ou de sel double. Cette pratique est principalement autorisée dans les zones septentrionales.

☛ *Fermentation malolactique*
   p. 59

[25] Pourquoi ajouter du soufre ?

Les propriétés antiseptiques du soufre sont connues depuis l'Antiquité, mais au Moyen Âge, les vignerons ont oublié son usage et ne produisent plus de vins capables de vieillir ; les vins nouveaux se vendent d'ailleurs plus chers que ceux de la récolte précédente. Ce sont les négociants hollandais qui, au XVIIe siècle, réintroduisent le soufre sous forme de mèche à brûler dans les barriques : l'allumette hollandaise.

Le soufre (SO_2) protège le moût comme le vin des oxydations et des attaques bactériennes.

L'homme à tout faire du vin

On distingue la forme libre du soufre, dont une partie est active, de la forme combinée sans effet mais s'accumule dans le vin au gré des apports et influe sur ses caractères gustatifs. La proportion de SO_2 actif dépend du pH du vin.

Le soufre possède des propriétés antiseptiques : il inhibe les levures et, plus encore, les bactéries. Anti-oxydant et anti-oxydasique, il ralentit la consommation d'oxygène par le vin et bloque les enzymes oxydatives. Par son action dissolvante, il facilite l'extraction des anthocyanes qui apportent la couleur, des tanins et des arômes contenus dans la pellicule du raisin.

☛ *pH p. 63*

☛ *Que contient un grain de raisin ? p. 30*

Quand ajouter du soufre ?

On appelle **sulfitage** l'ajout de soufre sur le raisin, le moût ou le vin. Appliqué sur la vendange, le soufre élimine les bactéries acétiques (présentes sur les raisins atteints de pourriture) et prévient toute fermentation prématurée. Appliqué sur le moût, aux doses habituelles de 50 mg/l, il sélectionne les levures et inhibe les bactéries. Il permet au vinificateur d'interrompre sa fermentation alcoolique afin de conserver une grande part de sucres résiduels et d'obtenir un vin liquoreux (*cf.* p. 100). Après la fermentation malolactique, il tue toute levure ou bactérie résiduelle et protège le vin contre l'oxydation. C'est aussi pour éviter que le vin ne s'oxyde que le vinificateur ajoute du soufre pendant l'élevage, à chaque soutirage, et avant la mise en bouteilles.

L'ajout de soufre s'effectue sous forme gazeuse lors de l'élevage en barrique (combustion de soufre), rarement sous forme liquide et le plus souvent en solution. Il est essentiel d'homogénéiser les apports selon le volume de moût ou de vin.

☛ *Qu'est-ce que l'élevage ? p. 84*

Et si on se passait de soufre ?

D'autres produits ont été proposés, mais aucun ne remplace le soufre. L'*acide sorbique* agit sur les levures et empêche les vins de refermenter, mais son mauvais emploi induit des arômes désagréables de géranium. L'*acide ascorbique* ou vitamine C, appliqué sur le vin – jamais sur les moûts –, protège seulement contre l'oxydation. De nouvelles substances sont actuellement expérimentées.

Les doses admises de SO_2 devraient diminuer sous la pression de la législation européenne. Si l'on sulfite peu mais le plus tôt possible, de façon homogène et préventive sur des vendanges saines, si l'hygiène est draconienne dans le chai, si le vin est protégé à tous les stades contre l'oxydation, cette diminution est techniquement réalisable. Depuis 2005, la législation européennne impose d'indiquer « contient des sulfites » sur l'étiquette des vins contenant au moins 10 mg/l de soufre résiduel.

Pour ou contre le soufre ?

Le soufre a-t-il un goût ? Il a surtout une odeur caractéristique, décelable selon la sensibilité des dégustateurs, perçu par un picotement de la gorge.

Le soufre est-il toxique ? Oui mais, selon l'Organisation mondiale de la santé, à des doses journalières bien supérieures à la consommation de vin – même excessive. Le taux de SO_2 généré par la digestion des autres aliments est d'ailleurs plus élevé que celui contenu dans le vin. Mais, il peut provoquer des migraines chez les personnes sensibles.

Si un excès de soufre altère le goût du vin, le très faible taux ou le manque total de SO_2 dans certains vins dits bio est encore plus flagrant : notes d'évent, d'oxydation, voire de rancio.

Son absence autorise quelques doutes sur la bonne conservation de ces vins, alors exposés aux dangers levuriens ou bactériens, à une augmentation de l'acidité volatile, aux attaques des levures *Brettanomyces*.

Méchage des fûts au château Clarke (AOC listrac-médoc).

[26] Qu'est-ce que la macération ?

La macération concerne essentiellement les vins rouges pour lesquels on recherche le plus de couleur et de bons tanins. Pour autant, ce contact privilégié peut aussi être bénéfique à la palette aromatique des vins blancs. Les transformations s'opèrent, différentes selon le mode de macération choisi. À cette étape déjà, le vinificateur décide du style de son futur vin.

Contact plus ou moins prolongé entre le jus et les parties solides du raisin (peaux et pépins), avant, pendant ou après la fermentation alcoolique.

Conquérir le cœur du raisin

Laisser macérer le moût permet de l'enrichir en composés phénoliques et aromatiques. La durée de macération peut varier de quelques jours pour des vins rouges souples et légers à plusieurs semaines pour les vins rouges de garde. Le vinificateur doit extraire le cœur du raisin et non les tanins astringents. Une cuvaison longue ne rattrapera jamais une vendange de médiocre qualité ; bien au contraire, elle ne fera qu'accentuer ses défauts.

- ☛ *Comment élaborer un vin rouge ? p. 70*
- ☛ *Comment élaborer un vin blanc sec ? p. 76*
- ☛ *Comment élaborer un vin rosé ? p. 78*

Des raisins bien mûrs de pinot noir.

Recherche couleur désespérément

Autrefois, dans les régions froides, le raisin attendait parfois longtemps avant de partir en fermentation ; on faisait donc de la **macération à froid** avant la lettre. Aujourd'hui, on refroidit volontairement les baies rouges en cuve à 5-8 °C pendant quelques jours, puis on laisse remonter la température pour le départ en fermentation. L'objectif est d'extraire un maximum de cou-leur. L'opération peut être spectaculaire lorsqu'elle est menée sur le pinot noir, cépage qui aurait tendance à en manquer.

Il est possible d'ajouter de la glace carbonique pour provoquer un **choc thermique** : les cellules de la pellicule éclatent et libèrent les pigments colorants anthocyanes. Les résultats sont incertains et le risque d'apparition de goûts herbacés n'est pas négligeable ; la couleur libérée manque notamment de stabilité.

Parce que le soufre a des propriétés dissolvantes, on a pu en apporter des doses massives pendant la

La macération favorise non seulement l'extraction de la couleur, mais aussi celle des arômes et autres composants bénéfiques du raisin.

macération à froid. Mais à l'heure actuelle, un tel sulfitage est pratiquement abandonné.

Technique nouvelle, la **flash-détente** consiste à chauffer la vendange entre 70 et 90 °C et à la refroidir très rapidement par détente (baisse) de pression. Les vins obtenus sont plus colorés et structurés, mais on manque encore de recul pour en apprécier la qualité. Le vinificateur peut pousser encore l'extraction des composants après la fermentation alcoolique et avant la fermentation malolactique, en réchauffant la cuve emplie de moût et de marc à 40-45 °C, de douze à trente-six heures. Cette **macération finale à chaud** produit des vins certes très colorés et tanniques, mais qui manquent de finesse.

En blanc : faire court et bien

A priori, il n'est pas nécessaire de faire macérer les raisins blancs, puisque l'on ne recherche ni couleur, ni tanins. Pourtant, si l'on veut favoriser l'extraction des substances aromatiques présentes dans les pellicules, il est possible de faire macérer le jus avec les peaux avant la fermentation : c'est la **macération préfermentaire** ou **pelliculaire**. On érafle la vendange – pour ne pas faire macérer les rafles qui apporteraient des goûts herbacés –, on foule délicatement le raisin (on le fait éclater), on sulfite très légèrement et on le laisse macérer dans une cuve. La macération préfermentaire ne doit s'appliquer qu'à des raisins sains et mûrs. Elle s'effectue à froid ou à température ambiante, pendant huit à vingt-quatre heures. Elle confère aux vins du gras et de la souplesse, beaucoup de fruit et de la longueur. Toutefois, tous les cépages ne s'y prêtent pas : en exacerbant leurs caractères, la macération pelliculaire peut porter atteinte à la finesse des vins qui deviennent alors lourds ou amers.

La macération semi-carbonique permet d'élaborer des vins fruités comme le beaujolais.

Faire travailler les cellules

Un mode original de macération consiste à placer des grains de raisins rouges entiers et non éclatés sous une atmosphère de gaz carbonique rapporté sur la cuve : c'est la **macération carbonique**. Il se produit alors, à l'intérieur même des cellules, une fermentation dite intracellulaire. Des arômes spécifiques, variables en fonction des cépages, et un peu d'alcool sont produits. Or, ce ne sont pas des levures qui interviennent ici, mais des enzymes, c'est-à-dire des protéines.

Au bout de quelques jours, on observe une légère diffusion de la couleur et l'apparition d'arômes amyliques comme la banane ou le bonbon anglais. Les raisins sont alors pressurés et le jus entame une fermentation alcoolique classique. La macération carbonique exige une vendange intacte, sans baies éclatées ; la récolte manuelle s'impose, et les raisins doivent être délicatement transportés vers la cuve sur des tapis.

Une autre méthode s'applique à des vendanges partiellement entières : c'est la **macération semi-carbonique**, ou **beaujolaise**. Ici, pas question d'ajouter du gaz carbonique au-dessus de la cuve ; il provient de la fermentation elle-même. Le jus du fond de la cuve fermente classiquement ; les raisins entiers du milieu de la cuve sont plongés dans ce jus et éclatent rapidement ; seuls les raisins du haut de la cuve restent entiers et connaissent une fermentation intracellulaire. La température est importante : plus elle est basse, plus les composés amyliques se forment.

La macération semi-carbonique est la base de l'élaboration des vins primeurs du Beaujolais. Cependant, des vins destinés à la garde peuvent être ainsi produits : le carignan, cépage languedocien, s'y prête parfaitement et développe des qualités aromatiques qu'une vinification classique ne saurait révéler.

[27] Quand et comment presser le raisin ?

Le secret d'un bon pressurage réside dans la douceur d'extraction, dans une judicieuse séparation des jus, car il convient d'éliminer ceux de la dernière pressée, plus végétaux. Le doigté de l'homme l'emporte sur la qualité du matériel.

Fouler n'est pas presser

Des hommes piétinent le raisin dans une cuve. Pressent-ils le raisin ? Non, ils le foulent, le font éclater sans écraser les pépins. Aujourd'hui, le **foulage** se fait mécaniquement, dans un fouloir (rouleaux cannelés), couplé parfois à un égrappoir. Il précède souvent le pressurage, mais ne constitue pas une étape obligatoire. Les Beaujolais font fermenter les grains entiers de gamay, non foulés. Avant de pressurer, le vinificateur recueille le premier jus qui s'écoule de la vendange ou du fouloir : c'est l'**égouttage** qui donne le **jus de goutte**.

Pressurage du raisin au domaine Santa Rita, Chili.

Avant la fermentation : les vins blancs

Le reste du raisin est pressé afin d'en extraire le liquide et d'éliminer les parties solides (peaux, pépins, rafles) qui pourraient libérer des tanins non désirés et donner des goûts végétaux. On peut aussi presser des grains entiers, non foulés, et ne conserver que les premiers jus qui sortent du pressoir, de meilleure qualité.

Pendant ou après la fermentation : les vins rouges

Le vinificateur écoule la cuve de fermentation pour recueillir la partie liquide : le **vin de goutte**. Seules les parties solides, le **marc**, sont pressées de façon à extraire un liquide plus tannique : le **vin de presse**. Celui-ci est soit ajouté en faibles proportions au vin de goutte pour le renforcer, soit totalement éliminé car il est moins fin. Les marcs rejetés pourront être distillés, recyclés comme compost à la vigne, ou servir à la fabrication d'huile de pépins de raisin et même de cosmétiques.

Le pressurage se fait par pressées successives entre lesquelles on émiette le marc devenu compact : c'est le **rebêchage**. Une opération manuelle (avec une bêche) ou mécanique selon le type de pressoir.

Les pressoirs

• Le **pressoir vertical** est l'héritier des pressoirs à vis ou à levier du Moyen Âge. Malgré une importante manutention, les Champenois l'utilisent encore car il permet une excellente séparation des jus (*cf.* p. 80). De grands domaines du Libournais, tel Petrus, s'en servent également. Originellement en bois, les pressoirs verticaux modernisés sont en Inox.

• Surtout utilisés pour les marcs (vins rouges), les **pressoirs horizontaux à plateaux** extraient des jus plus bourbeux : deux plateaux se resserrent et écrasent le marc. Bien commandés, ils donnent d'excellents résultats.

• Les **pressoirs horizontaux pneumatiques** assurent un pressurage très doux et extraient des jus peu bourbeux : à l'intérieur, une baudruche se gonfle et presse le raisin contre les parois perforées. Ils sont programmés informatiquement.

[28] Vinifier en cuve ou en barrique ?

Les cuves sont des récipients de grande capacité, en bois, en béton ou en acier inoxydable, alors que les barriques, en bois, sont de plus faible contenance (225 l). Si les vins rouges fermentent presque toujours en cuve, les vins blancs offrent une plus grande liberté au vinificateur qui choisit l'un ou l'autre récipient selon la qualité des raisins et le style de vin désiré.

Le montrachet, grand vin de Bourgogne vinifié sous bois.

Les plus et les moins de la cuve

• *Un moindre coût.* La vinification en cuve s'applique à des vins de tous niveaux de qualité, mais elle s'avère le meilleur choix pour l'élaboration de vins blancs peu coûteux.

• *La maîtrise de la température de fermentation.* Les cuves sont équipées de systèmes dans lesquels circule un liquide réfrigérant : anneaux dans les cuves en Inox, drapeaux ou serpentins dans les cuves en bois et en béton. Une température contrôlée préserve les arômes variétaux, préfermentaires ou fermentaires ; le fruit du vin est privilégié.

• *La pure vérité du raisin.* Même en bois, une cuve ne transmet pas d'arômes boisés au vin (sauf au début de sa vie, quand le bois est neuf).

• *Le grand volume* des cuves peut susciter des fermentations trop rapides. Aussi est-il préférable, pour des vins de qualité, de privilégier les cuves de petite capacité.

Les plus et les moins de la barrique

• La vinification en *petits volumes* assure une fermentation plus douce.

• Le bois lègue des *arômes spécifiques* et des tanins qui structurent le vin blanc.

• Le bois apporte du *gras* et de la *sucrosité* au vin.

• La fermentation en barrique se poursuit naturellement par un *élevage sur lies fines*, avec ou sans bâtonnage.

☞ *Comment élaborer un vin blanc sec ? p. 76*

• *Un coût élevé.*

• *La maîtrise des températures est beaucoup plus difficile, voire impossible*, même si l'on climatise le chai. Cet inconvénient n'a qu'une importance relative pour des vins blancs destinés à la garde car les arômes fermentaires seront, de toutes façons, remplacés par les arômes d'élevage. Les températures de fermentation peuvent donc être plus élevées.

• *La typicité du cépage et du terroir est souvent masquée par le boisé*, du moins lorsque le vin est jeune. La fermentation en barrique ne doit s'appliquer qu'à des moûts suffisamment corsés et concentrés.

• *Les risques d'oxydation* sont supérieurs.

Cuvier en Inox du château Gloria (AOC saint-julien).

[29] Comment élaborer un vin rouge ?

C'est en laissant fermenter des raisins rouges – pellicules, pépins et jus mélangés – que l'on obtient un vin rouge. Le souci du vinificateur est d'extraire les meilleurs composés du raisin pour offrir à son vin couleur, matière et arômes.

favoriser un départ rapide en fermentation ; le moût est en même temps aéré. L'opération doit être menée avec douceur pour ne pas déchirer les pellicules. Le vigneron laisse souvent une grande proportion de baies entières au risque de fermentations lentes, voire incomplètes (les marcs contiennent des sucres résiduels). À la sortie du fouloir, il ajoute une dose moyenne de soufre (de 30 à 60mg/l). Une vendange altérée par de la pourriture reçoit une dose supérieure. Lorsque le raisin est soumis à une macération carbonique (*cf.* p. 67), il n'est pas foulé.

Haro sur les rafles ?

L'**éraflage** consiste à séparer les baies de la partie ligneuse de la grappe, la rafle, à l'aide d'un appareil appelé érafloir, souvent constitué de pales tournant à vitesse variable et réglable. Cette opération est de tradition ancienne dans le Médoc, où l'on pratiquait l'éraflage manuel à travers une grille en bois. En éraflant, le vinificateur se préserve des risques de goûts herbacés et obtient des volumes de marcs plus faibles (mais parfois plus

Un peu de rafle dans le marc permet de corser le futur vin.

difficiles à presser). Il peut laisser une certaine proportion de rafles dans le moût afin de renforcer sa teneur en tanins ; c'est souvent le cas en Bourgogne pour corser les moûts de pinot noir.

Fouler : libérer le jus

Le **foulage** consiste à faire éclater les grains de raisin à l'aide d'un fouloir, afin d'en libérer le jus et de

Mettre en cuve : « sur un plateau »

Il faut absolument éviter d'écraser et de blesser le raisin, sa pellicule et ses pépins porteurs de tanins amers. L'idéal est d'encuver les raisins qui sortent du fouloir par simple gravité, ce qui demande une certaine déclivité ou des différences de niveau dans le chai. On peut aussi transporter les baies sur un tapis élévateur ou par un simple élévateur mécanique qui déverse un cuvon empli de baies dans la cuve, ou encore par un système de transport de cuvons sur rails au-dessus des cuves. À défaut, on pousse doucement la vendange foulée dans des canalisations, par des pompes en « queue de cochon » qui alimentent les cuves.

Choisir ses cuves : question de priorités

Pour produire un grand vin, on vinifie séparément les raisins en fonction de leurs origines (cépage, âge des vignes, parcelles). Des cuves de petite capacité dédiées à chaque origine sont donc préférables aux grandes cuves remplies de manière indifférenciée.

Les cuves peuvent être ouvertes (sans couvercle), comme celles utilisées en Bourgogne, ou bien fermées, munies d'une trappe, comme en Bordelais. Les cuves traditionnelles en bois reviennent à la mode, car elles ont une bonne capacité thermique et leur forme tronconique facilite l'expansion et la compression du chapeau de particules solides ; en revanche, elles apportent des goûts boisés lorsqu'elles sont neuves et demandent un entretien rigoureux.

Les cuves en ciment ont leurs adeptes. Le pomerol de Petrus est vinifié dans de petites cuves en béton. Elles ont une capacité thermique élevée, ce qui constitue un inconvénient pour le contrôle des températures (heureusement les systèmes de régulation modernes y pallient), mais un atout majeur pour conduire des macérations régulières. La paroi intérieure peut être en verre,

Saisissante vue sur le paysage du Diois, dans la vallée du Rhône, depuis le cuvier extérieur de la cave coopérative.

carrelée ou enduite d'une résine alimentaire.

Les cuves modernes en Inox ont une faible capacité thermique : elles se refroidissent ou se réchauffent rapidement. Elles doivent donc être régulées par le chaud et par le froid pour une bonne gestion de la température lors de la fermentation (il faut refroidir) et de la macération (il faut réchauffer).

Garder les bons éléments

Du rapport entre le jus et les matières solides dépend la concentration et la structure du vin fini. Selon l'objectif visé on peut concentrer le moût en éliminant un peu de jus de la cuve, en tout début de fermentation : on **saigne** la cuve.

Les tanins contenus dans les pellicules sont de bien meilleure qualité que ceux contenus dans les pépins ou les rafles. Il s'agit d'extraire lors de la fermentation les bons tanins et d'éviter les autres.

☞ *Qu'est-ce que la fermentation ? p. 59*

De l'air et une juste température

Au début de la fermentation le jus doit être aéré de façon à favoriser la multiplication des levures. Cette aération s'effectue au cours d'un soutirage (on écoule le vin de la cuve) ; elle sert à homogénéiser la température, comme le sucre apporté par la chaptalisation s'il y a lieu, à éviter les odeurs de réduit et à mieux fixer la couleur. Il faut ensuite régler la température pour un bon déroulement de la fermen- tation (entre 28 et 32 °C). Le vinifi- cateur tient un tableau des varia- tions de températures et des densités de chaque cuve pour suivre l'évolution de la fermentation. La fermentation alcoolique dure entre cinq et huit jours.

« Chapeau bas »

Le chapeau de marc est l'amas de particules solides qui remontent au début de la fermentation et flottent à la surface. Le vinificateur cherche à en extraire les composants béné- fiques : c'est l'**extraction**. Parce qu'il devient dur et compact, le chapeau doit être régulièrement humidifié.

• Il peut être maintenu sous la sur- face liquide à l'aide de grilles fixées dans la cuve. Cette pratique est fré- quente dans le Libournais.

• Une autre solution consiste à bri- ser et à enfoncer le chapeau dans le jus, soit manuellement à l'aide de cannes, soit mécaniquement à l'aide de vérins. C'est le **pigeage**, très pratiqué en Bourgogne. Bien conduit, ce mode d'extraction est doux et privilégie les bons tanins. Les cuves doivent être ouvertes pour pouvoir piger dans de bonnes conditions. On peut aussi pratiquer le pigeage par air comprimé ou à l'azote, en insufflant l'air au moyen d'une canne au sein du chapeau.

Température et alcool : capteurs de tanins et de couleur

La température aide l'extraction des composés phénoliques (anthocyanes et tanins). Peu élevée, vers 26- 28 °C, elle favorise le fruité sans extraction poussée, pour des vins souples et aromatiques. Très élevée, 32 °C et plus, elle optimise l'extraction phénolique ; toutefois, des goûts confiturés peuvent apparaître et, surtout, la fermentation risque de se bloquer car les levures cessent toute activité sous une trop forte température. L'alcool qui se forme au fur et à mesure est un excellent dissolvant des anthocyanes et des tanins. Mais un degré alcoolique très élevé risque d'extraire trop de tanins des pépins. Les pigments colorants anthocyanes libérés en début de fermentation (phase aqueuse) ne sont stabilisés que par leur combinaison avec les tanins extraits en fin de fermentation (phase alcoolique).

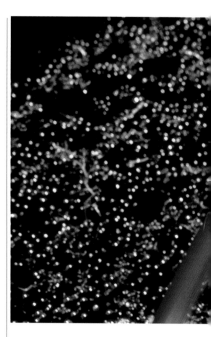

Remontage : le chapeau de pellicules est régulièrement arrosé par du jus.

• Au lieu d'enfoncer le chapeau, il est possible de prélever une partie du jus en bas de la cuve (par un robinet) et de le renvoyer à l'aide d'une pompe sur le chapeau de marc. C'est le **remontage**, pratiqué dans le Bordelais. L'arrosage du cha- peau doit être homogène, sur toute sa surface ; il est facilité par l'utilisa- tion d'un tourniquet ou d'un cha- peau chinois. Les remontages sont fréquents en début de fermenta- tion, puis se ralentissent.

• Le **délestage** est un remontage complet. On vide la cuve de son jus afin de faire tomber le chapeau au fond. Certaines cuves comportent des brise-marcs fixes, qui émiettent le chapeau. En renvoyant le jus sur

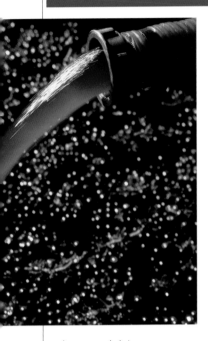

ce chapeau on le brise pour une extraction mieux répartie. Il ne faut pas abuser de cette pratique qui peut conduire à des surextractions.

• L'emploi de **cuves rotatives**, qui tournent sur elles-mêmes et mélangent ainsi le jus et les parties solides, présente le même inconvénient. En optant pour l'une ou l'autre de ces techniques, en les appliquant plus ou moins fréquemment et intensément sur le moût en fermentation,

L'équilibre d'un vin rouge

Il est fonction de trois axes : acide, moelleux (sensation alcoolique, glycérol, sucres résiduels) et tannique. S'y ajoutent la complexité aromatique et le grain, le lissé, des tanins (soyeux ou rêche).

le vinificateur imprime sa « patte », affirme sa conception de l'extraction de la matière première. Soit il s'efface devant le style du raisin, soit il extrait davantage.

• La **cuve ganymède** est une nouveauté prometteuse, où le gaz carbonique produit par la fermentation initie automatiquement les remontages.

Laisser macérer...

Après la fermentation et l'extraction par remontages ou pigeages, le moût et le marc restent un temps plus ou moins long en contact : c'est la **macération**. Les pigeages s'arrêtent, les remontages ne servent plus qu'à humecter le chapeau et à le préserver de la piqûre acétique, l'extraction s'opère par infusion lente. Le vinificateur peut décider de laisser décroître lentement la température ou de la maintenir à l'aide des dispositifs de régulation.

☛ *Qu'est-ce que la macération ?*
   p. 66

Le temps de la séparation

Après la fermentation et la macération, le vinificateur sépare le moût du marc en vidant la cuve. C'est le **décuvage**. Le moment choisi est capital, en dépendront le style et la qualité du vin. La décision est fonction de la dégustation : lorsque les premiers goûts végétaux et les tanins astringents apparaissent, il est temps d'agir. Le décuvage est parfois dicté par le volume de la cuverie : il faut faire de la place pour la vendange qui rentre.

Tandis que le moût est mis en cuve ou en barrique pour effectuer la fermentation malolactique, le marc est retiré de la cuve à la main ou par des extracteurs mécaniques (certaines cuves sont autovidantes). C'est le **démarcage**. À la main, il implique qu'un homme entre dans la cuve, avec tous les dangers que représente sa haute teneur en gaz carbonique. Il faut donc bien aérer la cuve avant l'opération. Le marc est ensuite envoyé dans le pressoir pour en extraire le vin de presse, riche et chargé en tanins.

☛ *Quand et comment presser le raisin ? p. 68*

Couleur dense, arômes complexes, structure équilibrée : les qualités d'un vin rouge réussi.

La vinification en rouge

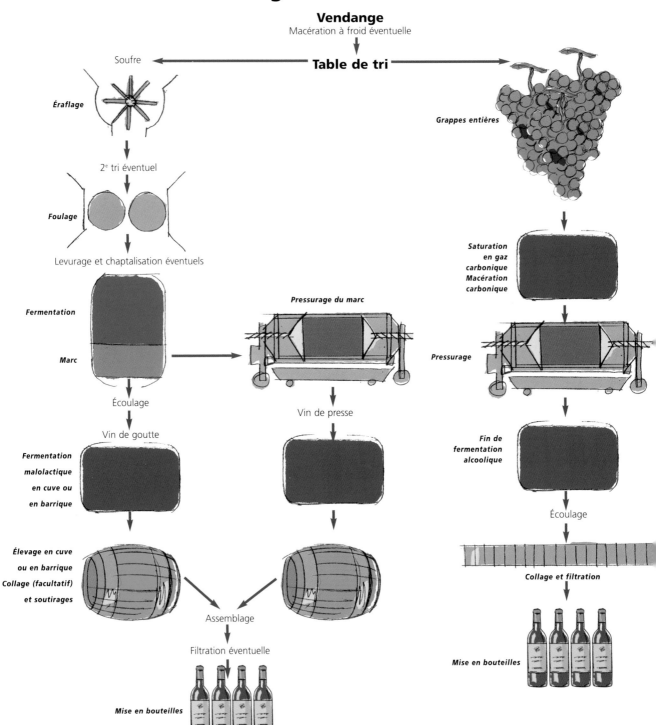

Vendange
Macération à froid éventuelle

Table de tri

Soufre

Éraflage

2e tri éventuel

Foulage

Levurage et chaptalisation éventuels

Fermentation

Marc

Écoulage

Vin de goutte

*Fermentation
malolactique
en cuve ou
en barrique*

*Élevage en cuve
ou en barrique
Collage (facultatif)
et soutirages*

Pressurage du marc

Vin de presse

Assemblage

Filtration éventuelle

Mise en bouteilles

Grappes entières

*Saturation
en gaz
carbonique
Macération
carbonique*

Pressurage

*Fin de
fermentation
alcoolique*

Écoulage

Collage et filtration

Mise en bouteilles

La vinification en blanc

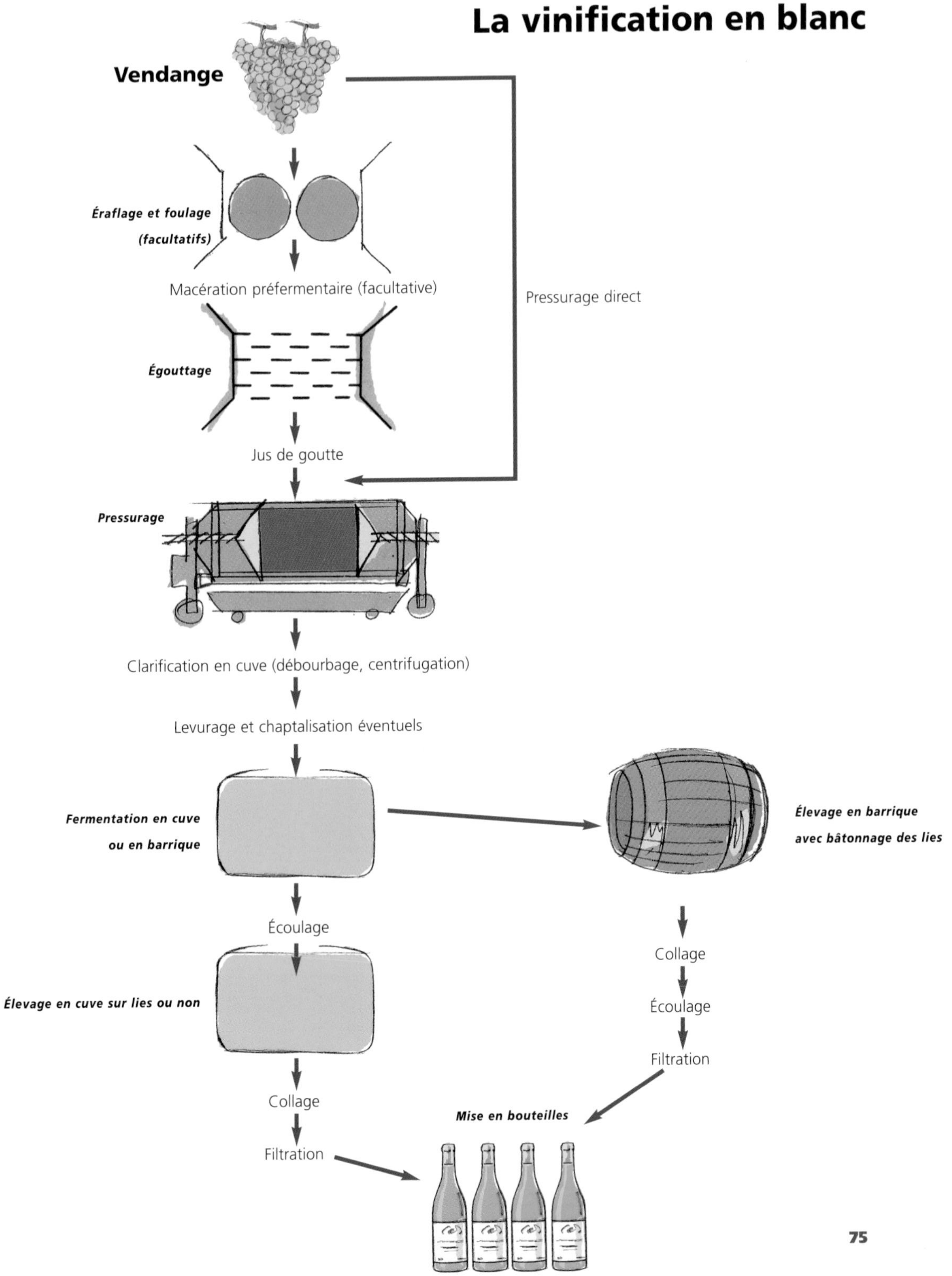

Vendange

Éraflage et foulage

(facultatifs)

Macération préfermentaire (facultative)

Égouttage

Jus de goutte

Pressurage direct

Pressurage

Clarification en cuve (débourbage, centrifugation)

Levurage et chaptalisation éventuels

Fermentation en cuve

ou en barrique

Élevage en barrique

avec bâtonnage des lies

Écoulage

Collage

Élevage en cuve sur lies ou non

Écoulage

Filtration

Collage

Mise en bouteilles

Filtration

[30] Comment élaborer un vin blanc sec ?

C'est en vinifiant le jus pressé de raisins à peau blanche ou rouge que l'on obtient un vin blanc. Pour qu'il soit sec, celui-ci doit contenir moins de 4 g/l de sucres résiduels.

Blanc de blancs et blanc de noirs

La majorité des vins blancs proviennent de cépages blancs. Toutefois, parce que la couleur du raisin se situe dans la peau et non dans la pulpe (sauf dans les cépages teinturiers, *cf.* p. 32), il est possible de vinifier en blanc des cépages rouges. C'est le cas en Champagne où le pinot noir et le pinot meunier sont pressés immédiatement pour donner un jus blanc. Un vin effervescent issu de raisins blancs est appelé blanc de blancs ; élaboré à partir de raisins rouges, c'est un blanc de noirs.

Avant la fermentation, les raisins blancs peuvent être soumis à une macération afin d'extraire plus d'arômes : c'est la macération préfermentaire ou pelliculaire.

☞ *Qu'est-ce que la macération ?*
   p. 66

L'oxydation, voilà l'ennemi

Pour obtenir un vin blanc de belle qualité aromatique, il faut préserver les raisins de l'action oxydante de l'air et des températures élevées. L'ajout de soufre les en protège, mais il est possible de diminuer les

doses de SO_2 en vendangeant à basse température, tôt le matin ou la nuit, et en plaçant la récolte dans des bennes de transport sous gaz inerte (gaz carbonique ou glace carbonique). Afin que les baies ne soient pas écrasées et ne rendent pas de jus – sensible à l'oxydation –, elles sont transportées dans des cagettes ou, à défaut, dans des bennes à double fond qui permettent de sulfiter le jus à la vigne.

Un procédé original pour lutter contre l'oxydation est l'**hyperoxygénation**. On oxyde totalement les composés oxydables du raisin avant pressurage afin de s'en débarrasser une fois pour toutes par collage ou filtration rapide. Les résultats sont très variables. Cette technique s'applique surtout aux cépages noirs chargés en substances tanniques.

☛ *Quand et comment presser le raisin ? p. 68*

Clarification : la juste mesure

Le jus qui sort du pressoir est trouble en raison des **bourbes** qu'il contient : débris végétaux, colloïdes et résidus divers. Il doit donc être clarifié. On laisse le moût décanter afin que se déposent les particules solides en suspension : c'est le **débourbage**. Deux méthodes sont possibles.

• Les jus sont transférés dans une cuve pour un **débourbage statique** : les bourbes se déposent lentement et naturellement à température ambiante ou à froid ; l'opération peut être accélérée par adjonction d'enzymes pectolytiques qui diminuent la viscosité du moût.

• Les jus passent dans une centrifugeuse ou à travers des filtres pour un **débourbage dynamique**, mécanique et plus brutal ; le risque est d'appauvrir le moût en levures, en acides gras et en composés azotés, ce qui peut entraver le déroulement de la fermentation. La centrifugation ne s'applique qu'aux vins de consommation courante.

Après le débourbage, on mesure la turbidité du vin, son caractère trouble.

Une méthode complémentaire est la **stabulation à froid**, qui peut être naturelle dans les régions froides. Le jus reste en cuve à une température de 5 à 10 °C pendant plusieurs jours avant le départ en fermentation. Ce procédé favorise le développement des arômes variétaux et l'étalement des fermentations, propice à la qualité des vins.

Enfin, il existe une argile, la bentonite, au pouvoir clarifiant. On l'utilise en cours de fermentation ou après si le vin est élevé sur lies, le plus souvent pour éliminer un excès de protéines susceptibles de provoquer des accidents (des *casses*) dans les vins finis.

☛ *Collage et filtration p. 94*

La fermentation : question de styles

Après le débourbage, le jus est transféré en cuve ou en barrique pour y fermenter. Le levurage, souvent indispensable, doit respecter la typicité du raisin ; choisir la bonne souche de levures est donc primordial.

La température de fermentation détermine la qualité. Trop basse elle favorise les arômes fermentaires, trop élevée elle conduit à une perte des arômes. Une température de 18 à 20 °C est une bonne moyenne. Recherchée en zone septentrionale (Champagne, Bourgogne, Suisse) et pour certains cépages (chardonnay), la fermentation malolactique est généralement évitée dans les vins blancs méridionaux pour leur garder de la fraîcheur et parce qu'elle apporte des goûts beurrés trop lourds.

☛ *Qu'est-ce que la fermentation ? p. 59*

Jusqu'à la lie...

La lie est le dépôt qui reste au fond de la cuve après la fermentation. Le vinificateur sépare le vin des lies indésirables (les **grosses lies**), cause de maladies et de mauvaises odeurs : il **soutire** le vin. Il peut décider de garder les **lies fines** dont le vin se nourrit pendant quelques mois jusqu'à la mise en bouteilles. L'**élevage sur lies** maintient le vin en milieu réducteur (sans oxygène), préserve son fruité, lui apporte du gras et des arômes supplémentaires. Le taux de gaz carbonique reste par ailleurs élevé, ce qui donne au vin un côté perlant (légère effervescence). S'il souhaite renforcer l'action des lies, le vinificateur remue le vin avec une sorte de bâton pour les remettre en suspension : c'est le **bâtonnage**. Le muscadet sur lies produit dans le pays nantais est le meilleur exemple de vins élevés sur lies.

L'équilibre d'un vin blanc sec

Pauvre en tanins, un vin blanc sec trouve son équilibre entre alcool, acidité et sucres résiduels. La présence de gaz carbonique renforce la sensation acide, avec un effet tactile en prime.

Un taux de sucres résiduels supérieur à 2 g/l arrondit des vins trop acides ou masque leur amertume (cas du muscat sec ou du gewurztraminer).

[31] Comment élaborer un vin rosé ?

Le vin rosé est issu de raisins rouges vinifiés selon deux méthodes distinctes : la saignée d'une cuve de vin rouge en début de fermentation ou le pressurage de raisins rouges et la vinification de leur jus comme un vin blanc.

Rouge + blanc = rosé ?

Surtout pas ! Le mélange de vin rouge et de vin blanc est formellement interdit. Une seule exception, le champagne rosé dont la couleur est ajustée par ajout de vin rouge produit dans l'aire d'appellation. De même, le rosé ne peut être obtenu par vinification d'un mélange de raisins rouges et blancs ; il est obligatoirement issu de la vinification de jus partiellement macéré de raisins à peau rouge.

Rosé de saignée

Le vin rosé commence sa vie comme un vin rouge, mais la séparation du jus des parties solides, la **saignée**, est décidée dès que la couleur atteint l'intensité désirée, en général après douze à vingt-quatre heures – d'où l'expression « rosé d'une nuit ». Le jus recueilli est vinifié comme un vin blanc, après une stabulation à froid, parfois, qui confère du gras (cf. p. 77).
La pratique de la saignée est ancienne et constitue une des techniques de concentration des vins rouges. Une partie du jus est éliminé de la cuve afin d'obtenir un meilleur rapport entre le jus

Une palette de roses
La couleur des vins rosés peut aller de la pelure d'oignon (souvent due à une oxydation précoce) à des tonalités presque violettes, en passant par l'orangé, le saumoné, le pétale de rose, l'œil-de-perdrix (rose pâle typique des vins suisses de Neuchâtel). L'intensité colorante est tout aussi variable, du rosé presque blanc au clairet bordelais, intermédiaire avec celle d'un vin rouge léger.

et les parties solides. Le jus en excès, récupéré, constituera un vin rosé.

☞ *Comment élaborer un vin rouge ? p. 70*
Comment élaborer un vin blanc sec ? p. 76

Rosé de pressurage

Les raisins rouges sont vinifiés comme pour élaborer un vin blanc : macération préfermentaire éventuelle, foulage ou non, pressurage, débourbage et vinification des jus. Le vinificateur obtient des vins rosés très pâles, parfois appelés vins gris, car dans ce cas l'intensité de la couleur ne peut pas être ajustée.

Un vin digne d'être élevé ?

Les vins rosés bénéficient rarement d'un élevage, car ils ne sont pas destinés à la garde. La mise en bouteilles est précoce pour préserver le fruit et les arômes de jeunesse.
Toutefois, un élevage assez long, quelque fois en barrique, peut être réservé à des rosés à vocation gastronomique.

☞ *Qu'est-ce que l'élevage ? p. 84*

[32] Comment élaborer un vin effervescent ?

Tout commence par la mousse qui s'échappe de la bouteille, à peine le bouchon parti. Les amis approchent spontanément leurs verres pour la recueillir. C'est la fête... Mais il aura fallu un préparation méthodique dans les caves pour que le vin en soit l'acteur. À chacun de choisir sa méthode.

Un vin effervescent contient une grande quantité de gaz carbonique qui se traduit par de la mousse à l'ouverture de la bouteille et des bulles dans le verre.

La méthode traditionnelle

Le champagne a fait des émules dans le monde entier. Son mode d'élaboration aussi : c'est la méthode traditionnelle (l'expression **méthode champenoise** est réservée au seul vin de la région Champagne). Le principe réside dans une seconde fermentation en bouteille d'un vin tranquille, qui lui permet de prendre mousse. D'une région à l'autre du monde, la méthode traditionnelle ne change pas ; seuls les cépages utilisés et les étapes préalables de la vinification du raisin connaissent des variantes (pressurage différent par exemple).

• **Le tirage**. On ajoute au vin blanc tranquille un mélange de sucres et de levures (24 g/l) appelé liqueur de tirage. Le vin est ensuite mis dans des bouteilles au verre épais, fermées par des capsules, capables de résister à la pression du gaz.

• **La prise de mousse**. Cette seconde fermentation s'effectue dans les caves à température constante (12 °C), bouteilles en position horizontale, pendant une durée variable. Tandis que les sucres se transforment en alcool, du gaz carbonique est produit.

• **L'élevage sur lattes**. Les bouteilles sont conservées en piles séparées par des lattes de bois, afin de tirer profit des lies (levures mortes). Le temps d'élevage est variable : de deux à trois ans pour les cuvées normales, de trois à cinq ans pour les champagnes millésimés et plus pour les cuvées de prestige.

• **Le remuage**. Le temps est venu de se débarrasser du dépôt qui s'est formé dans le vin. Les bouteilles sont remuées, soit à la main sur des pupitres, soit mécaniquement par des gyropalettes, pour faire glisser le dépôt de levures mortes contre le bouchon. Les bouteilles sont ainsi progressivement remises à la verticale, goulot en bas.

• **Le dégorgement**. Le goulot des bouteilles est plongé dans un bac à -28 °C afin de congeler le dépôt. À l'ouverture des bouteilles, le dépôt est expulsé comme un glaçon.

Champagne : le modèle

Le champagne provient des cépages noirs pinot noir et pinot meunier, et du cépage blanc chardonnay. Les raisins sont vendangés dans des cagettes et transportés au pressoir, autrefois les classiques pressoirs verticaux champenois. Les centres de pressurage sont situés au plus près des vignes. Le pressurage est fractionné : pour un apport de 4 000 kg de raisins, une première pressée donne la *cuvée* (2 050 l), puis on obtient la première et la seconde *taille*, enfin la *rebêche*, écartée de l'élaboration du champagne. Les moûts sont débourbés, puis transportés à la cave de vinification.

Après la fermentation alcoolique, les vins blancs produits sont secs ; ils peuvent ou non subir une fermentation malolactique. C'est ensuite l'assemblage : les vins issus de cépages et de crus différents sont mariés. Il s'agit de retrouver un même style, celui qui signe une marque de champagne.

Pour les champagnes non millésimés, dits bruts sans année, il est possible d'assembler des vins issus de vendanges antérieures : des vins de réserve. Enfin, on met en bouteilles et la méthode traditionnelle de prise de mousse s'enclenche.

• **Le dosage**. Le vin reçoit alors une dose de **liqueur d'expédition** (mélange de vin et de sucre). De son dosage dépend le style du vin effervescent : brut, 15g/l sec, demi-sec. Les bouteilles sont rebouchées et muselées par une petite armature de fil de fer, remuées pour bien mélanger cette liqueur, avant d'être habillées de leur étiquette définitive.

Goûter : champagne ; crémants d'Alsace, de Bourgogne, de Bordeaux, de Die, du Jura, de Limoux, de Loire. Vallée de la Loire : saumur et vouvray. Languedoc : blanquette-de-limoux. Espagne : cava. Ainsi que les vins effervescents californiens, chiliens ou australiens.

La méthode ancestrale ou rurale

C'est l'ancêtre de la méthode traditionnelle : appelée méthode ancestrale dans la région de Limoux, en Languedoc, méthode rurale, gaillacoise ou dioise à Gaillac ou à Die. La fermentation alcoolique qui démarre en cuve est interrompue par le froid. Le vin est embouteillé après une filtration légère qui l'appauvrit en levures. Les bouteilles contiennent donc encore du sucre et quelques levures. Au printemps, lorsque les températures remontent, ces sucres fermentent à nouveau et produisent ainsi du gaz carbonique, emprisonné dans la bouteille. De ces méthodes naissent des produits originaux, mais les résultats sont parfois aléatoires (prise de mousse incertaine ou trop violente, taux de sucres résiduels incontrôlables, difficultés de dégorgement). De rares clairettes et gaillacs sont vendus non dégorgés.

Goûter. Languedoc : blanquette méthode ancestrale. Vallée du Rhône : clairette-de-die. Sud-Ouest : gaillac.

La méthode transfert

C'est une variante de la méthode traditionnelle : les bouteilles ne sont pas remuées ; le vin est transféré dans une cuve sous pression, décanté et filtré avant remise en bouteilles.

La méthode de la cuve close ou méthode Charmat

Les vins secs de base reçoivent une dose de sucres et de levures, puis sont enfermés dans une cuve hermétique, sous pression. La seconde fermentation est rapide ; elle est souvent stoppée par le froid. Le vin est alors filtré, dosé et embouteillé dans des chaînes à contre-pression. Un vin effervescent ainsi produit ne possède jamais la finesse de bulles d'une méthode traditionnelle.

Goûter. Italie : asti spumante. Allemagne : sekt. Brésil.

La gazéification

Seuls des mousseux de bas de gamme sont ainsi produits : on introduit du gaz carbonique directement dans la cuve, puis on met en bouteilles.

Bouteilles de champagne sur pupitres : le dépôt de levures glisse dans le goulot.

[33] Qu'est-ce que l'assemblage ?

Chaque cépage vendangé a été vinifié séparément, chacun dans ses propres cuves, pour donner naissance à un vin rouge, blanc ou rosé. Les vins sont prêts ; ils pourraient presque être mis en bouteilles tels quels. Seulement voilà, le vinificateur sait qu'en assemblant le contenu des cuves, il obtiendra un tout autre vin, bien plus complexe.

L'assemblage est le mélange de vins de même origine géographique, sélectionnés pour leurs qualités complémentaires.

Sélectionner

Dans les grands crus du Bordelais l'assemblage s'accompagne d'une sélection des lots dès la vendange : les meilleurs (raisin le plus sain et mûr, issu des terroirs les plus qualitatifs) produisent le grand vin, une autre partie, le second vin et le solde est parfois vendu en vrac.

☞ *Qu'est-ce qu'un second vin ? p. 128*

Cette sélection s'opère par des dégustations répétées et constitue l'un des grands moments de la vie d'un cru, qui naît ainsi petit à petit sous le palais des dégustateurs (souvent l'ensemble de l'équipe technique du cru). Généralement l'assemblage présente des qualités supérieures à celle des lots pris séparément. On distingue l'assemblage idéal, le plus qualitatif, de l'assemblage économique, le plus réaliste pour la rentabilité de l'entreprise.

Les assemblages se font soit après la fermentation malolactique, soit après élevage, sous bois ou non. Il sont ajustables jusqu'à la mise en bouteilles. Les vins de presse sont en général élevés à part et réintroduits, en partie ou en totalité, lors des assemblages, selon la dégustation.

Marier les cépages et les terroirs

Dans les régions méridionales, le vigneron mélange parfois différents cépages dans la cuve de fermentation. C'est le cas notamment à Châteauneuf-du-Pape, dans la vallée du Rhône méridionale. Cet assemblage favorise des synergies aromatiques qu'il serait impossible d'obtenir après avoir vinifié les cépages séparément. La difficulté réside dans le choix des cépages qui doivent parvenir en même temps à maturité de façon à être vendangés et portés à la cuve ensemble.

Ailleurs, il est plus fréquent d'assembler les cépages après les avoir vinifiés dans des cuves distinctes. Le vinificateur peut ainsi récolter chaque variété à son stade optimal de maturité, leur appliquer les méthodes de vinification les plus

Les règles d'or de l'assemblage

1) Assembler n'est pas couper. Le coupage consiste à mélanger des vins d'origines géographiques et de qualités diverses ; en ce sens, il ne s'applique qu'aux vins de table.

☞ *Qu'est-ce qu'un vin de table ? p. 112*

2) Un domaine n'assemble que ses propres vins. Il ne doit pas avoir recours à ceux du voisin !

3) Les coopératives et les négociants peuvent assembler des vins de domaines différents, mais produits dans la même aire d'appellation d'origine.

Au château Margaux, premier cru classé du Médoc, chaque échantillon de vin prélevé de barriques différentes est dégusté afin de définir le meilleur assemblage.

appropriées à chacune d'entre elles. Il assemble ensuite les vins obtenus dans des proportions variables. Par exemple, un madiran (Sud-Ouest) contiendra plus ou moins de tannat ou de cabernets selon les domaines et selon les millésimes.

Les vins de Bourgogne sont certes des vins monocépages (chardonnay en blanc, pinot noir en rouge), mais ils résultent eux aussi d'assemblages : le vigneron choisit des clones différents du même cépage, qui possèdent leurs caractéristiques propres ; il peut également jouer des terroirs dans

les aires d'appellations communales ou régionales.

Car, dans toutes les régions, assembler c'est aussi tirer profit de la complémentarité des terroirs.

☞ *Qu'est-ce que le terroir ? p. 44*

Marier les millésimes

En Champagne comme dans les autres aires productrices de vins effervescents, il est possible d'assembler des vins de millésimes différents, appelés vins de réserve, pour obtenir une cuvée répondant au goût qui a fait la réputation de la maison : les chefs de cave obtiennent ainsi un brut sans année. L'assemblage des vins a lieu avant la prise de mousse.

☞ *Comment élaborer un vin effervescent ? p. 79*

D'autres vins sont issus d'un assemblage de millésimes, tels que les portos tawnies et les xérès.

Chez les producteurs de Porto, les lots sont bien identifiés en vue de l'assemblage qui permettra de perpétuer le « goût maison ».

[34] Qu'est-ce que l'élevage ?

La vinification terminée, le vin est encore trouble et chargé en gaz carbonique. Le maître de chai doit maintenant l'affiner, l'éduquer pour forger son caractère complexe. De son élevage dépend sa longue vie en bouteille, dans la cave de l'amateur.

Soins apportés au vin après la fermentation et jusqu'à la mise en bouteilles, pour le stabiliser et le conduire à une qualité optimale.

Rien ne se perd, tout se transforme

Par des réactions d'oxydoréduction (oxydation des composants à l'air, réduction en cas de manque d'air) de nombreux composés aromatiques apparaissent pendant l'élevage, qui dessinent le bouquet du vin : les arômes propres au cépage (arômes variétaux) comme ceux issus de la fermentation (arômes fermentaires) changent. La couleur se stabilise : les pigments anthocyanes se combinent aux tanins en créant ainsi de nouvelles tonalités. Ces tanins aussi se transforment ; leurs molécules s'unissent pour former une seule molécule plus grosse : c'est la **polymérisation**. Ils deviennent ainsi moins astringents, plus souples et mieux intégrés à la matière.

☛ *Comment évolue le vin ?*
p. 132

Au plus fin

L'élevage permet de clarifier le vin, de le rendre limpide. Les levures mortes se déposent naturellement au fond du récipient (fût ou cuve) et constituent les lies qui sont ensuite séparées du vin clair par **soutirage** : on transvase le vin d'un récipient dans un autre soit par pompage, soit – pour les grands vins – de barrique à barrique, par gravité ou en poussant le vin avec un soufflet. C'est un peu comme lorsque l'amateur décante une bouteille de vieux vin rouge dans une carafe. Autrefois, les maîtres de chai utilisaient l'expression « tirer au fin » pour désigner cette opération, ce qui expliquait clairement sa finalité. Le soutirage peut être répété plusieurs fois au cours de l'élevage ; sa fréquence dépend du style de vin recherché ou encore des conditions thermiques du chai. Dans le Bordelais, par exemple, le vin est soutiré trois ou quatre fois pendant sa première année de maturation en barrique.
Soutirer permet en outre d'éliminer du gaz carbonique, jusqu'à atteindre les normes admises pour la mise en bouteilles, et d'apporter de l'oxygène en petites quantités ; cette oxydation dite ménagée favorise la transformation des composants (couleur, arômes, tanins). Une oxydation brutale risquerait, en revanche, de fatiguer le vin, de le « mâcher ». Enfin, chaque

Ouillage d'une barrique.

soutirage est l'occasion d'ajuster la dose de soufre et d'homogénéiser le vin en le mélangeant.

☞ *Pourquoi ajouter du soufre ?*
   p. 64

Récemment, une technique s'est développée pour remplacer le soutirage : la **micro-oxygénation**. Elle consiste à apporter régulièrement de l'oxygène à l'aide d'une céramique poreuse alimentée par de l'oxygène comprimé. Son emploi doit être mesuré au risque de sur-oxygéner les vins et de les fragiliser, avec apparition d'arômes d'évent. En revanche, elle assouplit la structure et donne du gras à des vins originellement très tanniques ou sur-extraits (très en vogue actuellement), ce qui les rend agréables à boire dès leur jeunesse. Elle permet aussi d'éviter l'apparition de mauvaises odeurs lors de l'élevage sur lies. Lorsque des copeaux de chêne sont utilisés comme succédané de l'élevage en barrique, cette technique s'avère complémentaire.

☞ *Les copeaux de chêne :*
   bon ou mauvais procès ? p. 93

Bon bois, bon œil

Pour éviter tout risque d'oxydation à sa surface, le vin doit constamment affleurer le trou de la bonde de la barrique, appelé « œil », pendant l'élevage. Or le bois s'imbibe de liquide et permet une certaine évaporation ; il faut donc régulièrement ajouter du vin du moins en début d'élevage lorsque le récipient est placé bonde sur le dessus : c'est **l'ouillage**. Ensuite, si l'on tourne

Au cuvier ou au chai ?

En Bordelais, la distinction est claire : le cuvier sert aux vinifications, le chai est destiné à accueillir les barriques pour l'élevage du vin. Dans les grands crus on distingue les chais de première année et de deuxième année : après avoir passé douze mois dans un chai, le vin passe dans le second. Dans d'autres régions cette séparation est moins marquée.

les barriques bonde de côté, il est possible de s'en dispenser puisque le liquide baigne l'œil. Mais quel vin ajoute-t-on ? En aucun cas un vin médiocre récupéré ici où là. Seuls des vins de même qualité que celui contenu dans le fût peuvent être utilisés.

☞ *Pourquoi élever en barrique ?*
   p. 87

Lorsque le vin est élevé en cuve, l'ouillage peut être évité par une conservation sous gaz inerte, avec une faible surpression. Les cuves sont souvent fermées avec une bonde dite aseptique, garnie de solution de soufre.

Toujours plus stable

Tout au long de son élaboration et de son élevage, le vinificateur cherche à stabiliser le vin pour éviter tout accident en bouteille dû à des phénomènes chimiques ou micro-biologiques. La fermentation malolactique, si elle est recherchée pour

Soutirage du vin : le vin clair est séparé des lies.

le type de vin désiré, fait partie des stabilisations biologiques en baissant l'acidité. Mais le principal souci du producteur est de se débarrasser des cristaux de tartre, la gravelle, qui risquent de se déposer une fois le vin mis en bouteilles. Le vin est donc passé au froid (entre 0 et 5 °C) de façon à faire précipiter une fois pour toutes le tartre (le froid naturel de l'hiver suffit souvent). D'autres troubles éventuels peuvent être prévenus par collage et filtration avant l'embouteillage.

☞ *Comment mettre le vin en*
   bouteilles ? p. 94
   Quelles sont les maladies
   du vin ? p. 106

[35] Pourquoi élever en cuve ?

L'élevage en cuve répond certes à un souci d'économie et s'applique à la production de vins vendus à bon prix. Toutefois, la volonté de préserver le fruité du vin anime aussi le vinificateur qui choisit cette solution. De grands vins ne voient ainsi que la cuve, tels ceux d'Alsace.

Les plus...

• Le faible coût en termes d'investissement et de main-d'œuvre.

• L'élevage en cuve permet une bonne maîtrise de la température d'élevage.

• La protection contre l'oxydation est aisée.

• L'hygiène est facilement contrôlable ; en conséquence les accidents microbiens sont limités.

• Les arômes du vin jeune sont respectés. On peut bloquer toute évolution aromatique par un élevage en cuve à basse température.

• La teneur naturelle en gaz carbonique peut être conservée.

... et les moins

• Des goûts de réduit risquent d'apparaître.

• La clarification est plus lente. Les cuves étant hautes, les particules sédimentent plus lentement. Il faut donc souvent procéder à des filtrations.

• L'élimination du gaz carbonique se fait lentement, d'où la nécessité de soutirer.

Les types de cuves

• Les *cuves traditionnelles* en bois servent avant tout aux vinifications. L'élevage de certains vins en foudres (de 100 à 300 hl) ou en demi-muids anciens (150 l) peut être assimilé à un élevage en cuve.

• Les *cuves en béton* sont soit brutes soit revêtues de carreaux de verre ou de résine alimentaire. Elles ont une excellente capacité thermique, mais demandent un entretien rigoureux pour éviter que de faux goûts n'apparaissent.

• Les *cuves en acier émaillé* ne sont plus à la mode, mais encore en usage. Elles présentent les mêmes avantages que les cuves en acier inoxydable.

• Les *cuves en acier inoxydable* sont devenues la norme dans les chais modernes. Leur faible capacité thermique est un inconvénient, largement compensé par leur neutralité chimique et leur facilité d'entretien. Elles sont le plus souvent associés à des circuits de contrôle de température.

• Les *cuves en fibre de verre* sont peu onéreuses, facilement transportables, mais peuvent être responsables de faux goûts.

Cuvier de la maison Georges Dubœuf, à Romanèche-Thorins dans le Beaujolais.

[36] Pourquoi élever en barrique ?

L'élevage en barrique est à la mode et correspond à la demande de certains marchés pour des vins au caractère boisé, vanillé. Dans beaucoup d'esprits, il est lié à une qualité haut de gamme. Or, s'il présente bel et bien des avantages, il n'est pas recommandé pour tous les vins.

Les plus...

• Le faible volume de vin est un atout : il permet une meilleure clarification car la hauteur de chute des particules en suspension est très faible.

• L'oxydation ménagée du vin favorise le développement de nouveaux arômes. Contrairement à une idée reçue, cette oxydation ne s'effectue pas par les pores du bois, mais principalement par la bonde et lors des soutirages.

• Les tanins du bois sont extraits par le milieu alcoolique qu'est le vin ; ils apportent de la structure ainsi que des composés aromatiques, dont la vanilline (arôme de vanille).

• Le gaz carbonique s'élimine plus facilement.

... et les moins

• Le coût est très élevé, autant en raison du prix des barriques que de la main-d'œuvre nécessaire.

• Une barrique a une durée de vie limitée (de trois ans dans les grands crus à dix ans et parfois davantage dans La Rioja, en Espagne).

• La main-d'œuvre doit être compétente : une connaissance parfaite

Chai à barriques creusé dans la craie tuffeau à Saumur-Champigny, dans la vallée de la Loire.

des pratiques de l'ouillage, du soutirage, de l'entretien et de la conservation des barriques est impérative.

• Les barriques tiennent beaucoup de place et demandent des chais de grande surface. Il est possible d'empiler les barriques sur plusieurs niveaux mais les diverses opérations n'en sont pas facilitées. Les grands chais à barriques de La Rioja, en Espagne, possèdent des chaînes automatiques de soutirage, de lavage et d'empilage des fûts.

• L'élevage en barrique demande une hygiène draconienne. À chaque soutirage les barriques doivent être lavées et aseptisées par **méchage** : on y fait brûler une mèche de soufre afin de produire un gaz soufré (dioxyde de soufre) qui désinfecte.

Elles ne doivent jamais rester en vidange, c'est-à-dire vides.

• La perte de vin par évaporation (la **consume**) est importante : environ 3 % par an.

• L'apport de composés aromatiques boisés risque de masquer le fruit et la personnalité du vin.

• L'apport excessif de tanins du bois à un vin qui manque de constitution fait apparaître des goûts de sec.

• Les risques de maladies levuriennes (*Brettanomyces*) ou bactériennes (acidité volatile) ne sont pas négligeables.

☛ *Quelles sont les maladies du vin ? p. 106*

Un peu d'air...

Le vin a besoin d'air. D'abord, pour sa fermentation car les levures meurent sans oxygène. Ensuite, pour son élevage à condition que cet apport soit mesuré : c'est une **oxydation ménagée**. Grâce à elle, les composants du vin se transforment de manière complexe. Trop d'oxygène est en revanche néfaste, cause d'altération du vin en vinaigre. Une bouteille hermétiquement fermée préserve le vin de ce risque, car l'oxygène y est rare : c'est un milieu **réducteur**. Néanmoins, le vin embouteillé doit avoir gardé une quantité d'oxygène suffisante pour continuer à évoluer dans la cave de l'amateur. S'il manque d'oxygène, il prendra des arômes désagréables de renfermé.

Le bon âge

Neuve, une barrique lègue un puissant arôme boisé-vanillé et beaucoup de tanins. Son empreinte risque de dominer le vin, à moins que celui-ci ne lui oppose une grande densité et une matière de fort caractère. Les grands crus du Bordelais ont ce potentiel. Une barrique neuve doit toujours être affranchie, c'est-à-dire rincée ou passée à la vapeur ; une manière d'atténuer sa force et d'éliminer ses tanins grossiers consiste à la remplir d'un peu de vin pour un très court séjour.

Les vieilles barriques ont perdu de leur puissance tannique et aromatique, mais elles peuvent donner des goût secs de vieux bois. L'hygiène de conservation, les doses de soufre apportées sous forme gazeuse sont essentielles au maintien de leur état sanitaire. L'expression « barrique d'un vin ou de deux vins » signifie que le fût a déjà servi à un ou deux millésimes. Il est d'usage d'équilibrer la proportion de bois neuf selon la structure du vin : l'assemblage classique consiste à marier un tiers de vin élevé en bois neuf à un tiers élevé en barriques d'un vin et un tiers élevé en barriques de deux vins.

Le vinificateur ne doit jamais oublier que le bois est au service du vin et doit le mettre en valeur, sans l'écraser. Un vin qui naît surboisé mourra dans le même état, la sécheresse en prime.

☛ *Comment fabriquer un fût ? p. 90*

Quand entonner ?

Entonner, c'est remplir un fût. Il convient de procéder le plus tôt possible, sous peine de plaquer le bois sur le vin. La pratique de la fermentation malolactique en barrique demande un entonnage immédiat, à chaud. Elle donne d'excellents résultats pour les vins destinés à être bus jeunes qui acquièrent un boisé fondu et beaucoup de gras. Les vins qui font cette fermentation en cuve descendent en barrique après le premier soutirage.

Si l'élevage en barrique est court, mieux vaut clarifier légèrement le vin. S'il est long, la sédimentation naturelle suffit et la filtration est inutile, voire néfaste à la qualité, car le boisé domine plus facilement le vin.

Laisser le temps au temps

Le bois empreint rapidement le vin, mais l'harmonisation prend du temps : un passage de six mois en barrique n'est pas un élevage, mais une aromatisation ; un an ne suffit pas à une clarification naturelle ; un an et demi est une bonne moyenne pour les grands crus. Pour de grands millésimes particulièrement riches, l'élevage peut se prolonger au-delà, mais gare à l'assèchement du vin et au surboisage. La durée de l'élevage en barrique est à prendre en compte dans la gestion du chai : celui-ci sera aménagé de façon à abriter deux années successives ou bien un chai spécifique sera créé pour abriter les

Une barrique est fermée par une bonde, petite pièce tronconique, en bois, en verre ou en silicone. La traditionnelle bonde en bois entourée d'un linge est très hermétique et permet de coucher les barriques, mais elle peut poser des problèmes d'hygiène. La bonde en verre (ici, au château Margaux, dans le Bordelais) facilite l'échappement du gaz carbonique au début de l'élevage. Les bondes en silicone sont très hermétiques et faciles à nettoyer.

vins en deuxième année d'élevage ; le parc à barriques devra comprendre suffisamment de barriques d'un vin ou de deux vins.

Les vins blancs et le bois

Les vins qui ont fermenté en cuve ne sont pas élevés en barrique. Si l'on recherche un certain boisé, il est préférable de mener toute les étapes de vinification en fût, depuis la fermentation alcoolique jusqu'à l'élevage, avec fermentation malolactique ou non, pour que l'influence du bois soit plus fondue. Le vin reste sur ses lies, remises en suspension par des bâtonnages plus ou moins fréquents (*cf.* p. 77). Cet élevage peut se poursuivre jusqu'à épuisement complet des levures

(l'autolyse des levures) qui ont ainsi libéré leur gras et leurs composés aromatiques. Un séjour plus long ouvrirait la voie aux déviations : le vin ne serait plus protégé par l'effet réducteur des lies. Les vins blancs peuvent être très marqués par les arômes du bois et ainsi perdre tout leur fruit et leur typicité.

Des vins rouges sur lies

À la mode, les techniques d'élevage des vins blancs en barrique sont appliquées à certains vins rouges de luxe. Ceux-ci séjournent ainsi en barrique sur leurs lies de fermentation, bâtonnées régulièrement. Quelques avant-gardistes font un soutirage, « travaillent » les lies et les

réintroduisent dans le vin. Les levures et les bactéries présentes dans les lies libèrent des composés qui se solubilisent dans le vin et lui apportent du gras ; les lies finissent par être presque complètement digérées par le vin. Un tel élevage risquant d'entraîner des goûts de réduction (puisque le vin reste sur lies, il ne peut pas être soutiré et donc aéré), on procède à une micro-oxygénation. Les résultats sont spectaculaires dans les vins jeunes qui s'en trouvent magnifiés lors des dégustations d'achat des vins primeurs. Cependant, les différences s'évanouissent dans le temps, comme celles créées par la fermentation malolactique en barrique.

[37] Comment fabriquer un fût ?

Façonner les douelles, les cintrer au feu, les foncer et les cercler. Manier le coutre, la doloire, la coulombe et la bondonnière. Le métier de tonnelier a certes connu l'évolution des techniques qui a rangé ses outils anciens dans les vitrines des écomusées, mais la fabrication d'un fût suit toujours les mêmes étapes, avec ce choix exigeant du meilleur bois et de la bonne chauffe.

De quel bois le vin se chauffe

L'essence du bois choisie pour fabriquer le fût est essentielle. Les barriques de châtaignier ou d'acacia ont disparu au profit du chêne. Mais les tonneliers n'emploient pas n'importe quel chêne. Le chêne pédonculé (*Quercus robur*) du centre de la France (forêts de Nevers, de Tronçais) donne de meilleurs résultats que celui du Limousin : la différence réside dans la finesse du grain du bois. Les bois d'Europe de l'Est sont comparables, mais de qualité plus irrégulière. Dans tous les cas, il n'existe pas de recette miracle pour fabriquer un bon fût : chaque élaborateur doit trouver le bois qui conviendra à son vin et le tonnelier qui pratiquera la chauffe la plus adaptée.

Dans le monde, les vignerons ont le choix entre le chêne européen (sessile et pédonculé) et le chêne américain (*Quercus alba*).

• Le chêne européen ne peut pas être scié car ses fibres en seraient endommagées et son bois ne serait plus étanche : il est donc fendu à la main (à la hache), ce qui contribue à son coût élevé. Il apporte de la structure tannique et des arômes complexes au vin. C'est dans ce bois que naissent les grands vins de France.

• Le chêne américain peut être scié ; il est donc moins cher. Il apporte peu de structure, mais beaucoup d'arômes du type whisky-lactones, caractérisés par des notes de noix de coco ; le sciage fait en effet éclater les cellules du bois qui libèrent davantage de composés. Il donne aux vins de la sucrosité. En Espagne, les riojas sont élevés sous bois américain.

Les vignerons du Nouveau Monde commencent à se tourner vers la production de bois français, ce qui n'est pas sans poser de lourds problèmes pour la gestion des forêts de l'Hexagone. Les tonneliers utilisent du chêne de cent cinquante à deux cents ans ; la sélection est effectuée par l'Office national des forêts (ONF) qui gère les coupes et les met en adjudication.

Une invention gauloise ?

Les auteurs latins signalent l'emploi de tonneaux dans le piémont alpin bien avant la conquête des Gaules. Mais ce sont bien les Gaulois qui passèrent maîtres dans leur fabrication et qui en généralisèrent l'usage pour la conservation et le transport des aliments. Au IIIe siècle apr. J.-C., les Romains finirent par abandonner l'amphore, plus fragile, à son profit. Les vins, les alcools, les vinaigres, le beurre, la viande et les poissons salés étaient conservés en fût jusqu'à une époque récente. Divers bois étaient utilisés : du châtaignier au chêne, en passant par le peuplier, l'acacia et des arbres fruitiers.

Le tonnelier cintre son tonneau.

Il le chauffe avec un brasero.

Le merrain

Une fois les troncs de chêne abattus, le fendeur de bois – le **merrandier** – récupère ces grumes pour les fendre en quartiers, en **merrains**. C'est dans ces merrains que sont façonnées les **douelles**, planches fines et légèrement courbes qui formeront le corps du tonneau. Avant d'être utilisé, le merrain doit sécher à l'air libre : cette étape est essentielle car un bois encore légèrement humide ne serait pas étanche ; de plus, il garderait ses tanins grossiers ou verts néfastes pour le vin. Il faut un an pour sécher un centimètre d'épaisseur de chêne. Certes, il est possible de le sécher artificiellement, à l'étuve (solution hélas de plus en plus répandue, car plus éco-

nomique), mais il n'est jamais bien débarrassé de sa sève.

Le montage

Le tonnelier écourte les douelles parfaitement sèches et ébauche leur forme, plus large au centre qu'aux extrémités, bombée à l'extérieur et évidée à l'intérieur : elles doivent s'emboîter aisément. Il aligne alors le nombre de douelles nécessaires pour sa barrique : il forme la rose.

Le cintrage et la chauffe

Imaginez une couturière qui ajuste ses pièces sur un mannequin... Le tonnelier lui ressemble un peu lorsqu'il monte ses douelles debout autour d'un cercle de moule provisoire. Il cintre l'ensemble en le

chauffant à l'aide d'un brasero, en humidifiant le bois pour qu'il devienne souple et ne casse pas. Il resserre progressivement un câble autour des douelles jusqu'à ce qu'il puisse passer un deuxième cercle à grands coups de marteau. Lorsque l'on pense au tonnelier, c'est bien ce geste et cette chaude ambiance autour du feu qui viennent à l'esprit.

Une seconde chauffe des douelles est pratiquée, dont l'intensité détermine le caractère toasté que le fût léguera au vin. À chaque tonnelier, sa façon de chauffer : faiblement, moyennement ou fortement. Au maître de chai, ensuite, de trouver l'intensité de chauffe qui convient le mieux à son vin.

Le rognage et les fonçailles

Une fois cintré, le corps du fût est taillé en biseau à son extrémité afin que les fonds (les fonçailles) puissent s'y emboîter ; les éléments sont joints avec du jonc.

Le cerclage et les finitions

Le tonnelier n'a plus qu'à apporter les finitions : dernier rabotage, pose des cercles définitifs – feuillards de châtaignier ou de fer qui, par leur pression, assurent la bonne tenue de la barrique –, pose de la barre aux armes du cru, perçage du trou de bonde pour remplir le tonneau, des trous d'esquive pour les soutirages. Enfin, le tonnelier teste aussi l'étanchéité du fût en le remplissant d'eau chaude.

À chaque région son fût

Les mots « fût » ou « futaille » désignent tout récipient en bois destiné à recevoir du vin ou des eaux-de-vie (un tonneau peut contenir toutes sortes de denrées). Mais d'une région à l'autre, et selon sa capacité, un tel récipient porte des noms très variés, dont il est difficile de donner ici la liste exhaustive. Certains fûts ont été largement adoptés dans le monde, telle la barrique bordelaise.

Feuillette de la Côte-d'Or	114 l
Feuillette chablisienne	132-136 l
Barrique bordelaise	225 l
Pièce bourguignonne	228 l
Pièce armagnacaise	400 l
Pipe de Porto (Portugal)	550 l
Demi-muid (Sud de la France notamment)	600 l
Bota de Jerez (Espagne)	600-650 l
Foudre (Alsace, Allemagne, Italie, notamment)	de 30 hl à 700 hl
Fuder de Moselle (Allemagne)	1 000 l
Stück du Rhin (Allemagne)	1 200 l

[38] Les copeaux de chêne : bon ou mauvais procès ?

Devant le coût élevé de l'élevage en barrique, certains vignerons ont recours à des copeaux de chêne qu'ils ajoutent dans la cuve pour apporter au vin les tanins du bois et ses arômes caractéristiques, de vanille notamment. Que penser de cette pratique et comment permettre au consommateur de faire son choix en toute connaissance ?

Du pareil au même ?

L'apport de bois (planches, bûchettes, copeaux) dans les cuves est mentionné dans les traités de vinification du XIXᵉ siècle ; cette pratique est traditionnelle dans l'élevage des eaux-de-vie.

Les copeaux sont prélevés du chêne chez le merrandier ; le bois présente donc les mêmes caractéristiques que celui d'une barrique. Débités, ils sont séchés, chauffés dans un four pour leur donner le brûlage souhaité. Il est possible de fabriquer des copeaux appauvris en tanins en les faisant tremper.

Qu'ils soient issus de copeaux ou de la barrique, les composés du bois migrent dans le vin de la même manière. Il n'existe pas de techniques d'analyse qui permettent aux Fraudes de discriminer les deux pratiques. La différence réside dans le rôle de la barrique pendant l'élevage du vin : une oxygénation ménagée et une clarification lente. Toutefois, les conditions d'élevage en fût peuvent être reproduites en pratiquant une micro-oxygénation, puis en clarifiant par centrifugation. Le temps d'élevage n'en est que plus court et la main-d'œuvre réduite. Le souci d'économie prime.

☞ *Pourquoi élever en barrique ? p. 87*

Des avantages certains

L'usage de copeaux présente un avantage technique : il est facile d'ajuster le boisage du vin avec des méthodes quasi industrielles. Un avantage sanitaire aussi : les copeaux, conditionnés dans des sacs hermétiques, sont exempts de germes. Parce qu'ils ne servent qu'une fois, les problèmes inhérents aux vieux bois (maladies bactériennes) sont évités. Enfin, leur fabrication exige bien moins de bois qu'une barrique ; leur emploi est plus favorable à la préservation de la forêt française. Reste que les copeaux ont mauvaise presse auprès des amateurs de vins pour lesquels la barrique demeure une garantie de qualité.

Sujet de débat

Le boisage avec des copeaux est une pratique libre dans les vignobles du Nouveau Monde. L'Union Européenne a récemment autorisé cette pratique. L'Espagne et l'Italie ont néanmoins décidé de l'interdire pour leurs vins d'appellations ; hors UE, des voix se font entendre en Suisse pour adopter cette même restriction. En revanche, la France n'a pour l'heure pris aucune décision officielle autre que celle des textes européens.

[39] Comment mettre le vin en bouteilles ?

La vinification terminée, l'élevage parvenu à son terme, le maître de chai décide de mettre son vin en bouteilles, de l'habiller et de le présenter aux consommateurs. L'opération s'avère délicate, car le vin doit être aussi stable que possible pour bien se conserver dans son logement de verre.

Coller : rendre limpide

Coller un vin, c'est le clarifier en y ajoutant une substance colloïdale – appelé **colle** – qui ne se solubilise pas dans le liquide mais fixe les impuretés les plus fines (particules en suspension et colloïdes) et les entraîne au fond de la cuve ou de la barrique. Le vin s'en trouve plus brillant et limpide, débarrassé de quelques tanins grossiers et astringents.

Le collage au blanc d'œuf frais introduit directement dans la barrique ne se pratique plus que dans les grands crus.

Le vinificateur a le choix entre plusieurs colles selon la couleur du vin, mais il doit toujours procéder avec mesure : par exemple, la gélatine ou l'albumine d'œuf fraîche ou en poudre pour les vins rouges ; la colle de poisson, la caséine ou la bentonite (argile) pour les vins blancs. Le vin clair est ensuite séparé des lies de colle par soutirage : c'est la **levée de colle**, effectuée par temps anticyclonique (hautes pressions atmosphériques) pour éviter que des particules ne se remettent en suspension.

Filtrer : à travers les mailles

La filtration sépare le vin des parties solides en le faisant passer entre les mailles d'un matériau filtrant, plus ou moins serrées selon le « nettoyage » souhaité : simple filtration de propreté ou filtration stérilisante qui élimine les bactéries. Un long élevage en barrique et des soutirages au fin comme les connaissent les grands vins suffisent à les clarifier ; un collage et une filtration très légers les rendront alors brillants et

Non collé, non filtré : le *nec plus ultra* ?

On a longtemps reproché au collage et à la filtration d'appauvrir les vins alors que, bien menées, ces opérations les affinent en les respectant (un vin qui présente un trouble n'est jamais bien perçu par le consommateur). Sous la pression de certains dégustateurs et de la mode, les vins « non collés et non filtrés » (comme on peut lire sur leur étiquette) ont été présentés comme le *nec plus ultra*. Très colorés mais plutôt mats, très extraits mais plutôt chargés, ces vins en « mettent plein la bouche » et laissent une sensation tactile de mâche qui peut faire croire à une grande densité de matière. C'est oublier que les vins fins doivent avoir une trame lisse, que le grain des tanins doit être soyeux. Il ne faut pas confondre concentration et rusticité.

limpides sans les dépouiller. Une filtration plus forte, stérilisante, permet de stabiliser les vins liquoreux et de diminuer les doses de soufre nécessaires, mais elle risque de leur ôter du gras.

☞ *Pourquoi ajouter du soufre ?*
   p. 64

Choisir ses bouteilles

Les vins sont embouteillés sur des chaînes automatiques qui lavent et sèchent les bouteilles, les remplissent, les bouchent, les capsulent, les étiquettent et les conditionnent. La capacité standard d'une bouteille est de 75 cl partout dans le monde, mais il existe des demi-bouteilles (37,5 cl), des bouteilles de 50 cl – notamment pour les vins liquoreux – et de grands formats destinés au vins de Bordeaux et de Champagne. Le clavelin est une bouteille originale, très trapue, uniquement utilisée pour les vins jaunes du Jura : sa capacité de 62 cl correspond à la quantité de vin restant sur 1 l entonné, après les six années d'élevage en barrique.

☞ *Vin jaune p. 102*

La forme des bouteilles varie selon les régions, mais elle répond toujours à la nécessité de les empiler facilement : bordelaise aux épaules marquées adoptées dans de nombreux pays vinicoles pour leurs vins de longue garde, bourguignonne aux courbes plus douces reprises par les producteurs de chardonnay d'autres horizons, flûte alsacienne élancée, bocksbeutel de Franconie, en forme de flasque. Les vins effer-

vescents sont logés dans des bouteilles au verre épais qui résistent à la pression du gaz carbonique.
La couleur du verre varie également selon les régions, mais une teinte sombre assure toujours une meilleure conservation, à l'abri de la lumière : vert foncé classique, jaune-brun (feuille morte) des bou-

teilles de Bourgogne. Les vins rosés sont souvent embouteillés dans un verre clair, car ils ne sont pas destinés à la garde et doivent leur séduction immédiate dans les rayons à leur couleur. Il en va de même des vins liquoreux, bien qu'ils soient de longue garde (mieux vaut donc les conserver en caisse).

Grands formats

Champagne	Bordeaux	Capacité	Équivalence en bouteilles standard
Magnum	Magnum	1,5 l	2 bouteilles
	Marie-jeanne	2,25 l	3 bouteilles
Jéroboam	Double magnum	3 l	4 bouteilles
Réhoboam	Jéroboam	4,5 l	6 bouteilles
Mathusalem	Impériale	6 l	8 bouteilles
Salmanazar		9 l	12 bouteilles
Balthazar		12 l	16 bouteilles
Nabuchodonosor		15 l	20 bouteilles

1. Bordelaise.

2. Alsacienne.

3. Bourguignonne.

4. Champagne.

5. Clavelin du Jura.

6. Loire.

[40] Quel est le rôle du bouchon de liège ?

Si quelques amphores pouvaient être bouchées au liège dans l'Antiquité, l'usage de ce matériau s'est répandu au XVIIe siècle en même temps que celui de la bouteille en verre. Auparavant, une simple cheville de bois entourée d'un linge faisait office de bouchon. Le liège s'est révélé idéal pour assurer au vin de bonnes conditions de garde : à la fois élastique, imperméable, imputrescible et neutre, facile à extraire.

Démasclage des chênes-lièges au Portugal.

Une production méditerranéenne

Le chêne-liège (*Quercus suber*) trouve son habitat naturel dans le pourtour méditerranéen. Les principaux pays producteurs de liège sont le Portugal, l'Espagne, l'Algérie et le Maroc dont les suberaies (plantations de chêne-liège) sont les plus étendues du monde. Le Sud de la France, l'Italie et la Tunisie se placent derrière.

Le liège en danger

Le liège ne sert pas seulement à la production de bouchons, mais aussi à celle de revêtements isolants en construction, à la fabrication de semelles, *etc.* Les forêts sont aujourd'hui surexploitées pour répondre à la demande croissante. Souvent l'intervalle de dix ans entre deux levages d'écorce n'est plus respecté, au détriment de la qualité : les arbres se fatiguent, sont attaqués par des parasites, produisent moins. Sans parler des incendies, comme ceux, incommensurables, d'août 2003, qui ravagent les forêts.

Alors qu'une vigne commence à produire des fruits trois ans après sa plantation, un chêne-liège doit atteindre vingt-cinq ans pour donner une écorce transformable en bouchons. Il faut attendre entre neuf et dix ans pour que l'écorce se reconstitue et puisse être à nouveau prélevée, démasclée. Un chêne-liège vit près de cent vingt ans et produit une centaine de kilogrammes de liège tous les dix ans (soit 10 000 bouchons environ). Après **démasclage**, les planches de liège sont empilées pour sécher à l'air libre pendant un an. Elles sont ensuite ébouillantées (le bouillage), triées, calibrées, puis découpées en bandes selon la longueur des bouchons souhaitée. Une fois lavés et séchés, les bouchons sont marqués au nom du domaine et recouverts d'une couche de paraffine et de silicone qui favorise leur adhérence au verre. Autrefois, on blanchissait les bouchons dans du chlore, mais cette pratique générait des substances (les trichloranisoles) qui transmettaient au vin un goût de bouchon. On les étuve donc désormais.

☞ *Qu'est-ce que le goût de bouchon ? p. 153*

Choisir le bon bouchon

Il existe plusieurs types de bouchons, plus ou moins chers et de qualité : entièrement en liège, enrobés de plastique, siliconés, en liège aggloméré. Un bouchon doit être adapté à la durée de conservation souhaitée pour le vin. Pour une consommation rapide (dans les six mois), le liège aggloméré suffit. Pour une garde plus longue, les bouchons sont en liège entier et assez longs. Un bon bouchon ne laisse aucune odeur ou mauvais goût au vin et doit présenter de l'élasticité de façon à épouser la forme du goulot après bouchage. À défaut, la bouteille risque de fuir, de devenir couleuse.

En forme de champignon, les bouchons de champagne et autres vins effervescents sont de diamètre supérieur aux autres (24 mm) : leur base se compose généralement de liège entier, tandis que leur tête est en aggloméré. Ils sont maintenus sur la bouteille par un muselet, armature de fer, afin de résister à la pression du gaz carbonique.

Si le choix du bouchon revient au producteur de vin, c'est à l'amateur ensuite de le garder en bon état. Les bouteilles de vin doivent rester couchées dans les casiers de la cave pour que le liège soit constamment humecté. *A contrario*, celles de vins de liqueur et d'eaux-de-vie sont conservées debout car l'alcool peut attaquer le liège.

☞ *Qu'est-ce qu'une bonne cave ? p. 137*

☞ *Déboucher une bouteille p. 148*

Dépassé, le bouchon de liège ?

Le consommateur reste attaché au bouchon de liège qui fait partie de l'image traditionnelle des grands vins. Cependant, le rédhibitoire goût de bouchon a incité les industriels à se tourner vers d'autres matériaux pour le bouchage des vins destinés à une consommation rapide. Diverses matières plastiques sont utilisées, ainsi que la capsule à vis. Les Suisses ont montré la voie en utilisant cette capsule sans état d'âme ; les viticulteurs du Nouveau Monde l'emploient aussi largement.

[41] Qu'est-ce qu'un vin primeur ?

Les vendanges se sont achevées quelques mois auparavant et voici le vin déjà sur les comptoirs et les tables, jusqu'au Japon. Il sent les petits fruits, le bonbon anglais, laisse en bouche une fraîcheur acidulée. L'image du vin primeur, ou vin nouveau, reste attachée au beaujolais ; pourtant, d'autres régions de France et d'Europe se sont également lancées dans l'aventure, avec plus ou moins de succès.

Vin commercialisé quelques mois après les vendanges, destiné à une consommation immédiate.

Avant les autres

Le beaujolais a beau avoir la vedette, les vins primeurs sont produits dans plusieurs régions d'Europe, en rouge, en rosé ou en blanc. En France, certains d'entre eux bénéficient d'une appellation d'origine contrôlée (AOC), tel le beaujolais : ils sont mis sur le marché à partir du troisième jeudi de novembre. À titre de comparaison, le reste de la production beaujolaise ne peut être commercialisée qu'après le 15 décembre ; généralement, elle attend même après Pâques. D'autres primeurs sont des vins de pays : leur date de commercialisation est libre.

Secrets de vinification

Le cépage gamay a la préférence des producteurs, dans le Beaujolais bien sûr, mais aussi dans la Loire, en Touraine ou à Gaillac dans le Sud-Ouest. En Languedoc (vin de pays d'Oc), le grenache et le carignan sont les plus courants. Parce que les raisins doivent rester entiers jusque dans la cuve, les Beaujolais vendangent à la main et interdisent la machine – sujet de débat aujourd'hui. Celle-ci peut être utilisée dans d'autres régions. La macération semi-carbonique est la principale méthode d'élaboration des vins primeurs, complétée par des opérations de clarification et de stabilisation : l'œnologue procède notamment à une centrifugation et à une filtration pour sortir un vin propre à la consommation à la date fatidique.

☛ *Qu'est-ce que la macération ?*
p. 66

Le beaujolais, le plus célèbre des vins primeurs.

Déguster

Beaujolais	beaujolais nouveau, beaujolais-villages pri
Rhône	côtes-du-rhône prim
Sud-Ouest	gaillac primeur
Vallée de la Loire	touraine primeur
Languedoc	vin de pays d'Oc pri
Sud-Ouest	vin de pays de Gasco primeur
Espagne	rioja vino joven
Italie	vino novello de Tosc

Le plaisir est dans le fruit

Le vin primeur est associé à la notion de fête, soigneusement entretenue par les campagnes médiatiques. L'arrivée du beaujolais nouveau à New York ou à Tokyo demeure un évènement qui fait oublier que cette région possède aussi de grands crus. La précipitation, dans son élaboration, engendre parfois des abus, avec des goûts induits par des levures trop aromatiques, des traitements brutaux qui amaigrissent le vin.

[42] Qu'est-ce qu'un vin moelleux ?

« **J**'aime les vins sucrés, un peu doux », vous dit un ami autour d'un verre de vin à la couleur paille doré. « Doux, d'accord, mais plutôt moelleux ou liquoreux ? », lui répondez-vous, car il y a une différence. Pour le convaincre, revenez à la vigne.

Vin qui conserve des sucres résiduels non fermentés (45 g/l maximum).

Moelleux n'est pas liquoreux

Un vin moelleux présente moins de richesse en sucres qu'un vin liquoreux. Il est issu de vendanges très mûres, mais non passerillées (séchées sur souche) ou botrytisées. Le vigneron doit récolter des raisins assez riches en sucres (la chaptalisation vient souvent au secours de « faux moelleux »). Lorsque la fermentation a généré assez d'alcool, en général 12 % vol., on stoppe l'activité des levures par adjonction de soufre, par un passage au froid et une filtration pour conserver du sucre non fermenté (les vins moelleux de bas de gamme peuvent être pasteurisés). Les vins doivent être parfaitement stabilisés pour éviter toute refermentation en bouteille. Cette stabilisation autrefois obtenue grâce au seul soufre a donné une mauvaise image à ce type de vin, accusé de provoquer des migraines.

☞ *Pourquoi corriger la vendange ?* *p. 62*
☞ *Qu'est-ce qu'un vin liquoreux ?* *p. 100*

Vendanges tardives et Auslese

Grâce à son climat, l'Alsace produit des vins moelleux originaux, à partir de raisins très mûrs des cépages riesling et muscat (récoltés à 12,9 % d'alcool potentiel minimum et à 220 g/l de sucres), gewurztraminer et pinot gris (14,3 % et 243 g/l de sucres).

La chaptalisation est interdite. La dénomination « vendanges tardives » a longtemps été réservée à la région alsacienne ;

Grappe de chenin surmûrie (vallée de la Loire).

elle correspond à celle d'*Auslese* utilisée outre-Rhin.

Les Alsaciens produisent parfois des vins dits secs, mais qui gardent une part non négligeable de sucres résiduels. L'étiquette des bouteilles ne mentionnant pas le taux de sucre, le consommateur peut être très étonné à la dégustation de tels vins.

Déguster

De nombreuses régions productrices de vins blancs élaborent des vins moelleux.

Vallée de la Loire	coteaux-du-layon, vouvray, montlouis
Sud-Ouest	gaillac, jurançon, pacherenc-du-vic-bilh, côtes-de-bergerac, côtes-de-duras, côtes-de-montravel, haut-montravel
Alsace	alsace et alsace-grand cru gewurztraminer, pinot gris, riesling et muscat de vendanges tardives
Allemagne et Autriche	*Auslese* (notamment le riesling *Auslese* allemand)

[43] Qu'est-ce qu'un vin liquoreux ?

L'élaboration de vins liquoreux exige des raisins très concentrés en sucres. Les vignerons trouvent un allié dans un champignon microscopique, célèbre sous le nom de *Botrytis cinerea* ; les baies peuvent se concentrer également par passerillage ou sous l'action du froid.

> Vin qui conserve une quantité de sucres résiduels non fermentés supérieure à 45 g/l.

Cette pourriture-là est noble...

C'est un champignon, le *Botrytis cinerea*, qui, au lieu de se développer en vulgaire pourriture grise, évolue de façon ménagée pour concentrer les raisins. Le schéma climatique idéal pour une telle évolution consiste en des matinées brumeuses et humides suivies

d'après-midi ensoleillées. La présence de cours d'eau (Ciron en Sauternais, Layon en Val de Loire, Bodrog en Hongrie, dans l'aire de Tokay, Moselle et Rhin en Allemagne, Danube en Autriche) est favorable à cet anoblissement de la pourriture. Mais que survienne une période trop pluvieuse et la récolte risque d'être perdue.

Le champignon se développe sur la peau du raisin, la pénètre et la rend perméable : l'eau peut ainsi s'évaporer et le jus se concentrer ; cette concentration s'accompagne d'une perte en volume. Le *Botrytis cinerea* génère également des arômes spécifiques, évocateurs d'abricot sec et d'épices. Parce que son développement n'est pas uniforme, il est impossible de vendanger le raisin en une seule fois ; plusieurs passages entre les rangs – les **tries** – sont nécessaires pour récolter les grappes ou fractions de grappes convenablement botrytisées, rôties. À Tokay, les raisins sont ramassés un à un, mis à part et transformés en une pâte appelée *aszú* ; celle-ci est ajoutée au vin sec que l'on remet ensuite à fermenter. La quantité de pâte additionnée s'évalue en *puttonyos* (de 2 à 6) qui veut dire seau (de pâte aszú) en Hongrois.

Sélection de grains nobles et Beerenauslese

« Sélection de grains nobles » est une dénomination spéciale à l'Alsace et aux vins liquoreux d'Anjou. Les raisins doivent présenter une richesse naturelle variable en fonction du cépage (16,4 % d'alcool potentiel minimum et 279 g/l de sucres pour le gewurztraminer et le pinot gris ; 15,1 % et 256 g/l pour le muscat et le riesling). Comme pour les vendanges tardives, la chaptalisation est interdite. L'équivalent outre-Rhin est le *Beerenauslese*, avec des rieslings particulièrement réussis.

☞ *Qu'est-ce qu'un vin moelleux ?* p. 99

Sous le soleil...

Le **passerillage** consiste à laisser sécher les grains de raisin. Il peut s'effectuer sur le pied de vigne, sur souche, lorsque le climat de l'arrière-saison est chaud et sec. C'est le cas dans les zones de piémont placées sous l'influence du fœhn, à Jurançon près des Pyrénées où l'on peut attendre la récolte jusqu'à Noël, dans le canton suisse du Valais près des Alpes. On peut aussi faire sécher les raisins après la récolte, hors souche. C'est le principe de l'antique vin de paille (les raisins étaient séchés dans les greniers, sur un lit de paille). Ce type de vin est élaboré dans le Jura (les raisins doivent pré-senter une richesse minimale de 306 g/l de sucre après séchage), en Italie, en Grèce et en Espagne.

Comme sous la glace

Certains vignerons d'Allemagne, d'Autriche et du Canada produisent des vins de glace (*Eiswein* en allemand, *icewine* en anglais) en récoltant des raisins gelés sur souche sous une température inférieure à -5 °C (en général la vendange s'effectue la nuit). En pressurant les baies dans cet état, il ne coule du pressoir que la partie la plus sucrée. On peut congeler artificiellement les raisins : c'est la méthode de la cryo-extraction (*cf.* p. 63).

Un art délicat

La vinification de tels raisins est souvent difficile : il faut des pressoirs puissants pour extraire les jus les plus sucrés, les fermentations sont lentes, la clarification difficile. Le mutage, c'est-à-dire l'arrêt de fermentation, s'effectue à l'aide de soufre et du froid. Certaines appellations (sauternes, aires de la vallée de la Loire, entre autres) acceptent la chaptalisation (*cf.* p. 62), mais cette pratique aboutit souvent à des liquoreux déséquilibrés.

Déguster

Les vins liquoreux sont majoritairement blancs, mais il en existe aussi des rouges, dont les plus remarquables sont élaborés en Italie, dans l'aire vénitienne de Valpolicella : le recioto della Valpolicella obtenu avec des raisins passerillés hors souche.

Alsace
Cépages : riesling, pinot gris, gewurztraminer, muscat. Alsace et alsace-grand cru sélection de grains nobles.

Bordelais
Cépages : sémillon, sauvignon et muscadelle.
• Sauternais
sauternes, barsac, cérons.
• Rive droite de la Garonne
loupiac, sainte-croix-du-mont, cadillac.

Sud-Ouest
• Bergeracois
Cépages : sémillon, sauvignon et muscadelle. Monbazillac, saussignac, montravel.
• Jurançon
Cépages : gros manseng et petit manseng.
• Gaillac
Cépages : mauzac et l'en de lel.

Jura
Cépages : savagnin, poulsard, trousseau et chardonnay. Vins de paille.

Vallée de la Loire
Cépage : chenin. Coteaux-du-layon, bonnezeaux, quarts-de-chaume, vouvray, montlouis.

Vallée du Rhône Nord
Cépages : roussanne et marsanne. Très rares vins de paille de l'Hermitage.

Allemagne
Divers cépages, essentiellement du riesling. *Beerenauslese, Trockenbeerenauslese* et *Eiswein* (vin de glace).

Canada
Icewines (vins de glace) de divers cépages.

Hongrie
Cépages : furmint, hárslevelü, muscat de Lunel (à petits grains). Tokay aszú.

Italie
Vin santo de divers cépages en Toscane, malvoisie des îles Lipari, picolit du Frioul, passito obtenu par passerillage hors souche, recioto della Valpolicella (rouge).

Suisse
Canton du Valais (arvine et petite arvine essentiellement).

Afrique du Sud
Région du Cap : Klein Constantia (muscadelle et sauvignon).

[44] Qu'est-ce qu'un vin de voile ?

Vin jaune du Jura, xérès, gaillac... Quel est le point commun entre ces vins élaborés dans des régions si différentes ? Un voile. Celui que forment des levures pour protéger le vin pendant son élevage.

> Vin sec obtenu par un élevage oxydatif, à l'air, sous un voile de levures.

Sous le voile

Afin que le voile de levures se développe bien sans déviation bactérienne, le vin doit être assez riche (12-14 % vol. d'alcool), dénué de sucres résiduels et avoir effectué sa fermentation malolactique. Il est conservé dans une barrique laissée en vidange, non complètement remplie, pour favoriser le contact avec l'air. Des levures aérobies (qui ont besoin d'oxygène) de genre *Saccharomyces bayanus, capensis* ou *fermentati* naissent alors à la surface ; les barriques servent d'un élevage à l'autre pour garder un bon ensemencement naturel, mais on peut aussi apporter des souches sélectionnées. Le voile de levures isole le vin du contact direct avec l'oxygène : l'oxydation est alors ménagée. Divers composés aromatiques se forment comme l'éthanal et le sotolon, responsables du célèbre goût de jaune rappelant la noix. Le vinificateur surveille en permanence le taux d'acidité volatile qui doit rester dans des limites convenables. L'élevage du vin jaune jaune du Jura dure au moins six ans.

En Andalousie, ce voile se nomme la *flor*, à ne pas confondre avec le terme français « fleur » qui désigne une altération du vin par les bactéries *Mycoderma aceti*.
Est-il possible de se passer de voile pour produire des vins au caractère oxydatif ? Oui, mais ce caractère s'accentue alors en s'orientant vers la madérisation. C'est le cas des xérès olorosos, de divers *vinos generosos* espagnols, des madères, des portos tawnies, des vins doux naturels traditionnels.

☛ *Qu'est-ce qu'un vin doux naturel ? p. 105*

La solera : un élevage original

L'élevage des vins de Jerez, en Andalousie, se réalise en *solera*, c'est-à-dire dans des barriques empilées sur plusieurs niveaux (les *criaderas*). Le vin jeune est entreposé dans la rangée du haut ; on tire le vin à embouteiller de celle du bas, appelée solera, en la complétant à nouveau par du vin de la rangée immédiatement supérieure et ainsi de suite, en remontant. Ce procédé permet de rafraîchir la *flor* et d'obtenir un vin au goût constant.

Élevage du xérès sous un voile de levures, la flor.

Déguster
Espagne, Andalousie
Cépage : palomino fino.
Xérès fino, manzanilla et amontillado (vins mutés); montilla-moriles (non muté).
Cf. p. 104

Sud-Ouest
Cépage : mauzac.
Gaillac.

Jura
Cépage : savagnin.
Arbois, côtes-du-jura, château-chalon et l'étoile (vins jaunes).

[45] Qu'est-ce qu'un vin de liqueur ?

Les consommateurs connaissent mal les vins de liqueur, les assimilant à tort avec les vins liquoreux alors que leur principe d'élaboration est fort éloigné, ou bien avec des boissons apéritives de marques. Retrouvons leur véritable identité.

Vin obtenu par mutage : ajout d'alcool vinique dans le moût de raisin partiellement ou non fermenté.

Ne les confondez plus

Le principe d'élaboration d'un vin de liqueur (VDL) réside dans le mutage, interruption de la fermentation par ajout d'alcool vinique (alcool neutre ou eau-de-vie). Le titre alcoométrique augmentant à 15-22 % vol., les levures meurent et le taux de sucre dans le vin reste élevé.

Un type particulier de vin de liqueur est la **mistelle**, tels le ratafia de Champagne ou de Bourgogne et la carthagène du Languedoc : le jus de raisin est muté à l'alcool vinique et ne fermente pas.

Héritier des pratiques romaines, un **vin cuit** est un vin stabilisé et concentré par la chaleur, parfois aromatisé. Sa production, confidentielle, se cantonne au secteur des apéritifs. Il peut s'agir d'un vin de liqueur comme le málaga et le madère. Mais le vin de liqueur ne doit pas être confondu avec le **vermouth**, vin blanc renforcé d'alcool et de sucre, aromatisé avec des plantes amères (Cinzano, Martini, vermouth de Chambéry, par exemple). Ce n'est pas non plus un vin liquoreux...

☞ *Qu'est-ce qu'un vin liquoreux ? p. 100*

☞ *Qu'est-ce qu'un vin doux naturel ? p. 105*

Les vins de liqueur français

Ils sont mutés avec une eau-de-vie de même origine géographique que le raisin. Du cognac pour le **pineau-des-charentes** (blanc ou rosé), sur des jus non fermentés d'ugni blanc, de colombard, de sémillon et de montils en blanc, de cabernets franc et sauvignon, de merlot en rouge. De l'armagnac pour le **floc-de-gascogne** (blanc ou rosé), à base de jus non fermentés de nombreux cépages gascons. Du marc de Franche-Comté pour le **macvin-du-jura**, sur des jus légèrement fermentés de chardonnay, savagnin, poulsard, trousseau, pinot noir et pinot gris. Ces vins ne sont pas millésimés.

Déguster

FRANCE

Charentes
Pineau-des-charentes.

Languedoc
Frontignan (production confidentielle, à ne pas confondre avec le vin doux naturel muscat-de-frontignan).

Sud-Ouest
Floc-de-gascogne.

Jura
Macvin-du-jura.

ESPAGNE
Xérès ; alicante ; moscatel ; málaga.

ITALIE
Marsala de Sicile (moût chauffé et concentré, muté à l'alcool vinique) ; divers malvasia, moscato et vernaccia et la rare sciacchetrà des Cinque Terre.

PORTUGAL
Porto, moscatel de Setúbal, madère.

Les xérès sont des vins de liqueur étonnants de complexité, produits en Andalousie.

des sucres résiduels, élevé de manière oxydative.

☞ *Qu'est-ce qu'un vin de voile ?*
p. 102

Le málaga

Ce vin espagnol est élaboré avec du muscat d'Alexandrie et du pedro ximénez, passerillés, parfois enrichis avec des moûts chauffés et caramélisés, mutés à l'alcool vinique. La grande variété de málaga dépend du mode d'enrichissement et de la durée d'élevage.

Le porto

Le porto est un vin de liqueur rouge (plus rarement blanc) à base de nombreux cépages, dont les principaux sont le tinta roriz, le touriga nacional, le touriga frances et le tinta cão. Les jus sont fermentés partiellement et pressés dans les *quintas* (domaines) de la vallée du Douro, puis mutés à l'alcool vinique. Les vins sont ensuite transportés dans les chais d'élevage de Vila Nova de Gaia, face à la ville de Porto.

On distingue le jeune porto **ruby**, élevé pendant deux à quatre ans, le porto **tawny**, issu d'un élevage oxydatif, commercialisé sous compte d'âge – dix, vingt ou trente ans (et non sous un millésime). Ce sont des assemblages de plusieurs années qui respectent un goût constant, propre à chaque marque.

Le xérès

Le xérès est un vin blanc plus ou moins muté, élevé ou non sous voile. Le style le plus sec est le **fino** : le mutage n'intervient qu'après l'élevage sous voile, juste avant la mise en bouteilles. La *manzanilla* est un fino élevé dans les chais de Sanlúcar de Barrameda, au bord de la mer, ce qui lui apporte des notes salines et iodées. L'*amontillado* est un fino qui a perdu son voile et a vieilli plus longtemps. Le *palo cortado* est un fino aux caractéristiques d'oloroso car son voile disparaît très tôt. Le style **oloroso** (« parfumé ») correspond à un vin fortement muté, qui n'a pas pris le voile ; il connaît une oxydation classique pendant son élevage en solera. Le **pedro ximénez**, ou PX (du nom du cépage), est un vin passerillé, avec

Les **portos millésimés**, issus des meilleures années, sont élevés à l'abri de l'air en fût pendant dix-huit mois et ne vieillissent qu'en bouteille ; ce sont les célèbres *vintages* de très longue garde. Les **LBV** (*late bottled vintage*) sont des vins millésimés vieillis plus longtemps en barrique et qui présentent des caractères d'oxydation. Ces vins doivent être consommés plus rapidement que les vintages.

Le madère

Les vins de Madère portent le nom de leur cépage, sercial, verdelho, boal ou malvasia, en allant du plus sec au plus sucré. Les madères ordinaires proviennent du negra mole. Les moûts sont partiellement fermentés, mutés avec un mélange de moût, de sucre et d'alcool vinique. Le vin de liqueur obtenu est alors chauffé dans de grandes cuves, entre 40 et 50 °C, pendant plusieurs mois. Les madères de haut de gamme sont encore chauffés dans des fûts entreposés dans des *estufagems*, sortes d'étuves, ou même dans des greniers, les *canteiros*. Ils connaissent ensuite un élevage oxydatif dans des *pipas* de 650 l. Le système de la *solera* est en usage, comme à Jerez (*cf*. p. 102). Les madères peuvent vieillir pendant longtemps : le *reserva* plus de cinq ans, le *special old reserve* plus de dix ans. Certains madères portent un millésime, mais celui-ci indique souvent l'année du début de la *solera* plutôt que l'année de récolte.

[46] Qu'est-ce qu'un vin doux naturel ?

Exception française que justifie une longue tradition, les vins doux naturels sont des vins rouges ou blancs, produits dans le sud de la France, en Roussillon, dans l'Hérault, le Vaucluse et en Corse.

Vin doux français, élaborés avec des cépages déterminés, mutés en cours de fermentation avec de l'alcool neutre d'origine vinique.

Vous avez dit naturel ?

En Roussillon, la tradition du mutage remonte au XIIIe siècle, lorsque Arnaud de Villeneuve, médecin et recteur de l'université de Montpellier, découvre le principe du « mutage du vin par son esprit », c'est-à-dire l'interruption de sa fermentation par ajout d'eau-de-vie. À la différence des vins de liqueur, les vins doux naturels (VDN) d'aujourd'hui ne sont pas mutés à l'eau-de-vie, mais à l'alcool neutre à 96 % vol. qui n'apporte aucun élément aromatique exogène, d'où leur dénomination de naturel. Ils sont aussi issus de raisins naturellement riches en sucres (252 g/l de sucres minimum). Les terroirs, les cépages, l'élevage, définis dans chaque aire d'appellation, leur donnent leurs caractères distinctifs.

Déguster
Roussillon

Muscat-de-rivesaltes (muscat à petits grains et muscat d'Alexandrie) ; rivesaltes (en rouge, grenache ; en blanc, macabeu, malvoisie et muscats), maury (grenache noir) ; banyuls et banyuls grand cru (grenache noir).

Languedoc

Muscat-de-saint-jean-de-minervois, muscat-de-frontignan, muscat-de-lunel et muscat-de-mireval (muscat à petits grains).

Vallée du Rhône

Rasteau (grenache noir, blanc ou gris) et muscat-de-beaumes-de-venise (muscat à petits grains).

Corse

Muscat-du-cap-corse (muscat à petits grains).

Tout est dans l'élevage

Pour l'élaboration d'un VDN blanc, le moment du mutage dépend de la quantité de sucres que le vinificateur souhaite conserver et donc du style de vin recherché : sec, demi-sec, demi-doux ou doux. Dans le cas des VDN rouges, le mutage s'effectue sur le jus, après écoulage de la cuve, ou bien sur le marc (jus et peaux du raisin) pour obtenir des vins plus tanniques, riches et colorés, destinés à de longs élevages.

Si les muscats sont conservés brièvement en cuve de façon à préserver leurs arômes de jeunesse, les autres vins doux naturels sont élevés plus longtemps (trente mois pour le banyuls grand cru). L'élevage traditionnel est oxydatif, en foudre, en demi-muid, parfois même en barriques

ou en bonbonnes exposées au soleil (ce ne sont pas pour autant des vins cuits ! *Cf* p. 103). Il donne au vin un caractère rancio : teinte ambrée, tuilée ou acajou, arômes de fruits secs. Les cuvées sont ensuite assemblées. Un élevage à l'abri de l'air permet de produire des vins millésimés, appelés *rimage* à Banyuls.

[47] Quelles sont les maladies du vin ?

Grâce aux progrès de l'œnologie, les vins sont mieux protégés des risques d'altération lors de l'élevage ou de la garde en bouteille. Reste qu'un accident est toujours possible, à commencer par la transformation du vin en... vinaigre.

QUAND LES BACTÉRIES S'EN MÊLENT

Voile blanc à la surface du vin	Fleur (attaque bactérienne sur des vins peu alcoolisés).
Brunissement de la couleur, acidité volatile	Tourne (attaque des bactéries sur l'acide tartrique). Se développe sur des vins de faible acidité.
Couleur brunâtre, arômes de fruits pourris, acidité volatile	Vinification de raisins pourris.
Goût amer	Attaque des bactéries.
Goût de vinaigre	Acidité volatile (acescence).
Arôme de colle	Combinaison de l'acide acétique avec l'alcool (acétate d'éthyle).
Goût de beurre rance	Piqûre lactique (attaque des bactéries lactiques sur les sucres non fermentés).
Arômes de sueur de cheval, d'écurie	Mauvaise hygiène des barriques (développement de *Brettanomyces*).
Vin visqueux, filant	Attaque des bactéries sur le glycérol.

ACCIDENTS DE PARCOURS

Gros flocons	Casses (ferrique, cuivrique, oxydasique, protéique).
Cristaux au fond de la bouteille	Dépôt de tartre et tartrates (et non de sucre !) issus du raisin. Défaut dans un vin jeune (le vin a été mal stabilisé ou clarifié), un dépôt est naturel dans un vin vieux ; il est le signe que le vin n'a pas subi de traitement ni reçu d'additifs.
Dépôt pulvérulent ou adhérant aux parois de la bouteille	Précipitation de matières colorantes (anthocyanes non solubilisés). Fréquent dans les vins vieux.
Évent, madérisation (couleur et goût de madère), oxydation	Excès d'air. L'évent est réversible, l'oxydation est irrémédiable.
Arômes de soufre, sécheresse en bouche	Excès de soufre à la vigne ou lors de la vinification.
Goûts de bock, de lessive, d'œuf pourri	Réduction du soufre.
Goût de bouchon	Altération du bouchon. Peut être confondu avec le goût apporté par des produits de traitement des bois dans le chai. Irrémédiable.

MAUX BÉNINS ET PASSAGERS

Vin mâché, sans arômes ni fruit	Maladie de la bouteille. Peut survenir pendant la période qui suit la mise en bouteilles. Disparaît ensuite.
Arômes animaux	Réduction légère. Disparaît à l'aération du vin. Ces arômes sont appréciés de certains amateurs.
Disparition des arômes	Période de fermeture qui peut se manifester plusieurs fois pendant la garde en bouteille. Le vin se rouvre ensuite.

[48] Qu'est-ce que l'acidité volatile ?

Les acides jouent un rôle important dans le vin car ils soutiennent sa couleur, sa structure et le préservent des bactéries. Toutefois, deux bactéries leur résistent : les bactéries acétiques et lactiques, source d'acidité volatile.

Volera, volera pas

À la différence des acides dits fixes (tartrique et malique), certains acides sont volatils : ils passent à l'état de vapeur si l'on augmente la température du vin. Le principal est l'acide acétique avec son corollaire, l'acétate d'éthyle (combinaison de l'acide acétique avec l'alcool éthylique). D'une moindre volatilité, ce sont aussi les acides formique, propionique, lactique et succinique.

☛ *Qu'est-ce que le vin ?*
p. 8

Aux doses prescrites...

La présence raisonnable d'acides volatils dans le vin est normale. Dans l'Union européenne, un vin de table rouge ne peut dépasser 0,98 g/l d'acidité volatile, sous peine de ne plus être marchand ; un vin blanc, 0,88 g/l. En France, chaque aire d'appellation d'origine fixe ses propres limites, en général plus basses. Pour les vins liquoreux, les doses admises sont supérieures, car le *Botrytis cinerea* induit de l'acidité volatile dès la récolte.

☛ *Botrytis cinera*
p. 100

Sinon gare au vinaigre

Au cours de la fermentation, les levures créent de l'acidité volatile qui atteint naturellement 0,3 g/l. La fermentation malolactique la fait croître à 0,4 g/l. Le vinificateur peut la diminuer en sélectionnant des levures appropriées.

Un accident est vite arrivé. Trop d'air et les bactéries acétiques se manifestent. Elles se développent au cours de la macération sur le chapeau de marc mal arrosé, sur les bondes de barriques mal nettoyées, dans des cuves en vidange ou des fûts sans ouillage. Elles dégradent l'alcool et ouvrent la voie à la piqûre acétique : le vinaigre.

Les bactéries lactiques sévissent également en attaquant les sucres lorsque la fermentation s'interrompt accidentellement ou s'achève : c'est la piqûre lactique. Une autre bactérie, en s'en prenant à l'acide tartrique, génère de l'acidité volatile : c'est la maladie de la tourne. Une vendange atteinte de pourriture aigre ou le développement de levures *Brettanomyces* nuisibles dans une cave mal entretenue en sont d'autres causes.

Point de salut ?

L'acide acétique donne des goûts de vinaigre ; l'acétate d'éthyle, de piqué et, à forte dose, de colle synthétique. Mais à faible taux dans des vins riches en alcool et tanniques, l'acidité volatile peut être bénéfique : elle favorise la diffusion des arômes. Des millésimes mythiques, tel le Château Cheval Blanc 1947, ont ainsi dépassé les normes. Les règles de l'œnologie moderne n'autorisent toutefois plus ces exceptions.

[49] Comment lire une étiquette ?

L'étiquette est la carte de visite du vin. Au-delà de son caractère esthétique, elle apporte des informations légales : l'origine géographique du vin, l'identité du metteur en bouteilles et du producteur, le titre alcoométrique... Le consommateur a tout intérêt à savoir la déchiffrer.

Les mentions obligatoires

Elles sont définies par la réglementation européenne. L'étiquetage du vin est contrôlé par la Répression des fraudes (DGCCRF) qui surveille également la publicité, les usurpations d'appellation et falsifications diverses.

❶ Dénomination catégorielle : vin de table, vin de pays avec indication de la zone de production, appellation d'origine vin délimité de qualité supérieure (AOVDQS), appellation d'origine contrôlée (AOC) sauf en Champagne.

❷ Nom et adresse de l'embouteilleur qui est le responsable légal du vin.

❸ Le pays de production pour certains vins destinés à l'export.

❹ Titre alcoométrique exprimé en % vol.

❺ Volume de la bouteille.

❻ Numéro de lot qui permet la traçabilité du vin.

❼ Vignette avec numéro pour les AOVDQS.

❽ Mention sanitaire : « Contient des sulfites » et l'avertissement ou le logo pour les femmes enceintes.

En vin de pays. L'unité géographique (ici les coteaux de l'Ardèche) suit obligatoirement la dénomination « vin de pays ».

Les mentions facultatives

❾ Le millésime.

❿ Le cépage.

⓫ Mise en bouteille « à la propriété » (en Champagne s'y ajoute le statut de l'exploitation avec le numéro de registre professionnel).

⓬ Classement (cru classé, premier cru, grand cru).

⓭ Nom de cuvée. Les mentions Grand vin, Vieilles vignes, Cuvée spéciale, Prestige n'offrent aucune garantie de qualité.

☛ *Qu'est-ce qu'une cuvée spéciale ?*
p. 127

En appellation d'origine vin délimité de qualité supérieure (AOVDQS), catégorie « antichambre » de l'AOC, appelée à disparaître.

En Alsace (AOC).

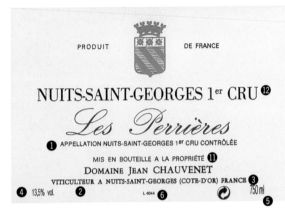

En Bourgogne (AOC).

En Bordelais (AOC).

En Champagne (AOC).

La contre-étiquette

Placée au dos de la bouteille, c'est l'espace de communication du producteur ; elle peut être un véritable roman et être plus grande que l'étiquette même. Le consommateur n'y attachera qu'une importance relative, mais des renseignements sur les terroirs, les cépages et les modes de vinification peuvent l'éclairer sur la nature du produit. En revanche, les commentaires de dégustation, toujours laudatifs, seront entendus comme de la publicité.

La capsule

Le transport du vin, boisson alcoolisée, est strictement réglementé par l'administration des Douanes : il est soumis à des taxes fiscales dont l'acquittement est matérialisé par une vignette apposée sur la capsule qui surbouche la bouteille, appelée « capsule-congé ». La capsule est de couleur bleue pour les vins de table, verte pour les AOC, noire pour les vins étrangers. Elle indique parfois le statut du producteur : propriétaire-récoltant ou négociant.

Le bouchon

Pour éviter d'éventuelles fraudes, le nom de la propriété et le millésime peuvent être estampillés sur le bouchon. C'est une garantie pour le consommateur, surtout lors de l'achat de bouteilles de prestige.

[50] Qui produit ?

Vous voici devant les linéraires de vin, le regard porté sur les étiquettes.
« Propriétaire viticulteur », « Cave coopérative », « Négociant »...
Quelle différence existe-t-il entre ces acteurs du monde vinicole ?

Le viticulteur

C'est un agriculteur qui produit du raisin. Il peut être propriétaire de vignes, les louer, en être fermier ou métayer. Le fermage consiste à payer un loyer indépendamment des revenus tirés de la vigne, alors que dans le système du métayage, encore très fréquent en Beaujolais (40 % du vignoble), l'exploitant paye le propriétaire en nature, en lui donnant une partie de la vendange. S'il ne dispose pas des moyens ou des compétences nécessaires à l'élaboration du vin, le viticulteur peut adhérer à une cave coopérative à laquelle il porte ses vendanges, ou bien vendre sa récolte à un négociant-vinificateur.

Le vigneron indépendant

Il cultive sa vigne, produit du raisin et procède lui-même à la vinification jusqu'à la mise en bouteilles. Il peut vendre sa production directement ou par l'intermédiaire du négoce. En Champagne, il est appelé récoltant-manipulant (sigle RM sur l'étiquette).

Robert Plageoles est l'un des vignerons indépendants réputés du Sud-Ouest (AOC gaillac).

La cave coopérative

Une cave coopérative est un bien collectif de vinification et de commercialisation qui achète le raisin produit par ses adhérents. Nées au tournant du XXe siècle pour répondre aux crises sociales, les premières caves coopératives furent celles de Ribeauvillé en Alsace (1895) et des Vignerons Libres de Maraussan, dans l'Hérault (1901). Aujourd'hui, la moitié de la

production française est assurée par quelque 850 coopératives qui obéissent toujours à la démocratique règle d'un homme, une voix.
Les vendanges sont vinifiées dans un chai collectif, souvent très bien équipé. Les adhérents sont certes rémunérés en fonction des quantités apportées et du degré de la vendange, mais ils reçoivent aussi des primes selon la qualité de leur raisin ; les critères qualitatifs sont fixés par contrat entre la coopérative et le vigneron : c'est le principe des chartes de qualité. Les assemblages de raisins se font par catégories – cépages, types de terroirs, âges des vignes, état sanitaire, *etc*. Ils permettent d'élaborer des cuvées commercialisées sous l'une des marques de la coopérative. La vendange d'une propriété spécifique peut être vinifiée à part pour produire une cuvée étiquetée

La cave coopérative de Chablis, en Bourgogne, créée en 1923.

2001

essence

DE DOURTHE

BORDEAUX

Dourthe, fondée en 1840, est l'une des anciennes maisons de négoce de Bordeaux.

sous le nom de ce domaine. Une coopérative a le droit d'indiquer la mention : « mis en bouteille à la propriété » sur l'étiquette.

Le négociant

Son rôle premier est d'acheter des vins de propriété déjà mis en bouteilles pour les revendre. Mais le négociant peut aussi être vinificateur ou assembleur.

• Le **négociant-vinificateur** achète du raisin à des viticulteurs sous contrat et le vinifie dans ses chais. Le vin porte en général sa signature sur l'étiquette. Un tel négoce est très répandu en Bourgogne, région où le vignoble est fortement morcelé : Bouchard, Drouhin, Faiveley, Louis Jadot sont quelques noms célèbres. Dans le Bordelais, il assure la production de gros volumes de vin vendus sous une marque (Malesan et Mouton-Cadet, par exemple). Les négociants vinificateurs se développent et viennent concurrencer les caves coopératives. Certains vignerons n'hésitent pas à adjoindre cette activité à leur propre production ; ils signent ainsi une plus grande quantité de vins, au risque de créer

la confusion chez le consommateur.

• Le **négociant-éleveur** achète des lots de vin par l'intermédiaire de courtiers, les assemble, puis les commercialise sous une marque. Il peut élever des vins jeunes et les mettre en bouteilles dans ses chais. Il gère des stocks de bouteilles pour les faire vieillir et les mettre plus tard sur le marché.

Les marques champenoises

Les maisons de Champagne (signalées par le sigle NM, négociant-manipulant, sur l'étiquette) possèdent en général un vignoble en propre, mais la majeure partie de leurs raisins est achetée aux viticulteurs de l'aire

Croix Rouge est la cuvée vedette de la maison de Champagne Castellane.

Interprofession et syndicat viticole

L'interprofession est un organisme qui rassemble tous les intervenants de la filière vitivinicole d'une région : syndicats de viticulteurs, vignerons, coopératives, courtage et négoce. Cet organisme est chargé de réguler le marché et d'assurer les opérations de promotion. Le syndicat viticole est un organisme de défense des intérêts d'une aire d'appellation d'origine qui regroupe tous les producteurs. Gardien du bien collectif que constitue l'appellation, il établit les règles de production qui seront avalisées par l'Institut national des appellations d'origine (INAO), puis fixées par décret.

☛ *Qu'est-ce qu'une appellation d'origine ? p. 114*

d'appellation. Ces achats de raisins permettent d'élaborer des vins différents, de cépages et de secteurs variés, puis de réaliser des assemblages : les chefs de cave tentent ainsi de garder aux champagnes bruts sans année le goût constant de la marque. Le prix des raisins achetés est fonction du classement des parcelles et de la loi du marché.

☛ *Qu'est-ce que l'assemblage ? p. 82*
Qu'est-ce qu'un cru ? p. 120

[51] Qu'est-ce qu'un vin de table ?

Vin ordinaire, de consommation courante, c'est ainsi qu'on appelait autrefois la bouteille étoilée. Souvent rouge, le vin de table est issu d'un mélange de productions de divers vignobles, parfois même de différents pays de l'Union européenne. Il n'en est pas moins soumis à des règles pour être mis sur le marché.

Catégorie de base des vins produits dans l'Union européenne.

Un mélange de vins

À la différence des vins d'appellation d'origine, les vins de table résultent du coupage de vins de différentes aires de production. Pour cette raison, aucune mention géographique ne figure sur leur étiquette. Une distinction est établie cependant entre un vin de table français, ou de France, et un vin de table de différents pays de l'Union européenne. Le premier résulte du coupage de vins français uniquement ; le second, de vins produits dans divers pays européens (par exemple du vin du Languedoc avec une production espagnole ou italienne). Leur titre alcoométrique oscille entre 8,5 et 15 % vol. Commercialisés sous des marques, les vins de table peuvent aujourd'hui revendiquer cépages et millésime sur l'étiquette. Les noms de « château » ou « domaine », leur sont en revanche interdits.

Le vin des crises

Le vin de table a mauvaise presse, car il est lié aux crises de surproduction du vignoble européen. Le Languedoc a souffert des rendements pléthoriques de cépages plantés en plaines fertiles ou d'hybrides surproductifs, dont les vins étaient souvent assemblés à ceux, plus alcooleux, d'Algérie, puis des Pouilles ou de Sicile. Pour diminuer les excédents et faire face à la forte baisse de la consommation de ces vins, l'Union européenne a mis en place une politique d'arrachage des vignes, dans la seconde moitié des années 1970, et de distillation obligatoire.

Des stars en vin de table

L'Italie produit de gros volumes de vin de table (*vino da tavola*) de qualité aussi ordinaire que le suggère cette catégorie. Mais elle réserve des surprises en Toscane et dans le Piémont, grâce à des *super tavola*. Certains producteurs recourant à des cépages et à des modes de vinification originaux voient leurs vins écartés de l'appellation d'origine. Dans les années 1970, en Toscane, le premier *vino da tavola* prestigieux fut le sassicaia, produit dans le style du bordeaux, avec du cabernet-sauvignon (alors que les cépages toscans sont le sangiovese et le nebbiolo). Le célèbre producteur Antinori poursuivit dans la même voie avec le tignanello. Certains *super tavola*, surnommés super toscans, ont été promus : le sassicaia en appellation (DOC), le tignanello en vin de pays (IGT).

[52] Qu'est-ce qu'un vin de pays ?

Les super vins de table français, ce sont les vins de pays dont le Languedoc s'est fait le champion avec 80 % de la production. Ils bénéficient d'une image régionale et portent souvent les couleurs de cépages internationalement connus, qui les hissent sur les marchés étrangers.

Catégorie de vins de table portant une indication géographique de provenance.

Des règles moins contraignantes

Si la liste des cépages autorisés en vins de pays est plus large qu'en appellation d'origine et les rendements autorisés plus élevés, cette production n'en est pas moins stricte-ment encadrée : provenance géographique, normes analytiques (titre alcoo-métrique, acidité volatile), dégustation obligatoire avant agrément. Comme pour les autres vins de table, c'est Viniflhor (Office national interprofessionnel des vins) qui veille sur le marché, se charge de l'agrément des vins et de leur promotion en France comme à l'étranger où les vins de pays trouvent des débouchés.

Une origine géographique et un millésime

Les vins de pays se répartissent en trois catégories selon l'étendue de leur aire de production. Les dénomi-nations **régionales**, très vastes : Val de Loire, Oc, Comté tolosan, Comtés rhodaniens, Méditerranée Atlantique. Les dénominations **départementales**, au nombre de cinquante, comme les vins de pays de l'Hérault, et les délimitations de **zones**, comme les côtes de Thon-gue ou les coteaux de Fontcaude dans l'Hérault, ou encore les vins de pays de l'île de Beauté.

Le cépage en vedette

Les producteurs de vins de pays, surtout en Languedoc, se sont spécialisés dans les vins de cépage (*cf.* p. 25). Leur avantage est de pouvoir indiquer sur l'étiquette le nom de la variété, souvent inter-nationale et bien connue du consommateur (cabernet-sauvignon, pinot noir, syrah, chardonnay, sauvignon...).

Vins de pays de luxe

Certains producteurs ont trouvé dans la catégorie des vins de pays une plus grande liberté d'expression (en matière de cépages notamment) que dans le système des appellations d'origine contrôlée (AOC). Ce qui n'est pas sans rappeler l'Italie et ses super toscans (*cf.* ci-contre). Des domaines comme Mas de Daumas-Gassac ou la Grange des Pères, en Languedoc, pratiquent des prix bien supérieurs à ceux des aires d'appel-lation voisines. D'autres, comme le Domaine de Trévallon aux Baux-de-Provence, ont dû quitter l'AOC parce qu'ils avaient planté des cépages non autorisés.

[53] Qu'est-ce qu'une appellation d'origine contrôlée ?

Ils portent le nom d'une région, d'une sous-région, d'une commune. Ils traduisent les caractères de leur terroir, historiquement viticole. Ce sont les vins d'appellation d'origine, qui répondent à des conditions de production très strictes.

Désignation par son origine géographique d'un produit agro-alimentaire, brut ou transformé, élaboré selon des règles définies par décret et dont les caractères sont typiques du terroir.
Sigle : AOC.

Une réponse à la crise

Le monde du vin a traversé de nombreuses crises qui ne l'ont pas mis à l'abri des fraudes, tant après le fléau du phylloxéra qu'après la crise économique des années 1930. Les professionnels ont cherché à protéger la spécificité de leur production en faisant adopter par les pouvoirs publics une loi reconnaissant l'origine géographique et fixant les règles de production. Une première loi fut adoptée en 1919, suivie de celle de 1927, mais c'est en 1935 que le système des appellations d'origine contrôlée vit le jour. Arbois, cassis, châteauneuf-du-pape et monbazillac furent les premières AOC.

Arbois, vin du Jura, et le provençal cassis, tout en arômes.

Définie par décret, l'appellation d'origine est la propriété collective des producteurs. Les syndicats viticoles sont les acteurs d'un système que l'on peut qualifier d'autogestionnaire bien que contrôlé par un organisme public, l'Institut national des appellations d'origine (INAO), dont le président est nommé par le ministre de l'Agriculture. Après le vin, d'autres produits agroalimentaires – fromages, production animale, légumes, huiles d'olive ou miels – ont bénéficié d'une AOC. Ce dispositif a fait école en Europe et dans le monde.

☞ *Existe-t-il des appellations d'origine dans le monde ? p. 116*

Un terroir, des usages constants

L'aire de production d'une AOC est délimitée en fonction du sol et du climat, c'est-à-dire du terroir ; à l'intérieur de l'aire géographique, chaque parcelle est classée (aire délimitée). Il est toujours possible de réviser ces délimitations : à la demande des syndicats, l'INAO crée alors une commission d'enquête. Les conditions de production, strictement définies, répondent à des « usages locaux, loyaux et constants », c'est-à-dire éprouvés par l'expérience de générations de vignerons : cépages, modes de culture, densité de plantations, taille, rendement maximal, richesse minimale et maximale des raisins. La vinification et l'élevage des vins peuvent aussi être codifiés. Pour porter l'appellation d'origine, les vins doivent subir à chaque millésime des examens analytique et organoleptique, c'est-à-dire une analyse de leurs composants et une dégustation à l'aveugle par des experts. S'ils passent ces tests avec succès, ils reçoivent l'agrément, c'est-à-dire le droit de porter le nom de l'appellation revendiquée.

☞ *Qu'est-ce que le terroir ?*
   p. 44

Deux niveaux de qualité

Dans la hiérarchie des vins européens établie en 1970, les appellations d'origine appartiennent à la catégorie des Vins de qualité supérieure produits dans une région déterminée (VQPRD). L'autre catégorie de vins européens étant les vins de table. En France, il existe deux niveaux d'appellation : l'appellation d'origine contrôlée qui constitue l'élite des vins, et l'appellation d'origine Vin de qualité supérieure (AOVDQS ou VDQS), créée en 1949. L'AOVDQS est un palier entre les vins de pays et les AOC. Nombre de ces vins ont accédé à l'AOC si bien qu'il en reste moins d'une vingtaine et la disparition de cette catégorie est programmée dans quelques années.

Label n'est pas AOC

Un label est un certificat de qualité : les produits agroalimentaires qui en bénéficient répondent à un cahier des charges à tous les niveaux de leur élaboration, mais sans garantie d'origine géographique. C'est là que réside la différence entre label et AOC. National, le label Rouge est le plus connu, mais il existe aussi sept labels régionaux comme Savoie ou Midi-Pyrénées.

Comment obtenir l'appellation d'origine ?

L'INAO est chargé de reconnaître les AOC, de les encadrer et de défendre leurs intérêts. Son comité national est composé de représentants des professionnels. de l'administration et de personnalités qualifiées. Ses comités régionaux discutent des questions spécifiques à une région avant de soumettre des propositions de modification au comité national. Pour accéder à l'appellation, impossible de brûler les étapes. Le vignoble doit déjà bénéficier de la catégorie VQDS et jouir d'une antériorité historique. Les producteurs se tournent vers leur syndicat de défense qui dépose une demande auprès de l'INAO. L'Institut nomme alors une commission d'enquête ; des experts viendront ensuite établir la délimitation parcellaire. Ces travaux permettent de définir les conditions de production dans la nouvelle aire,

Monbazillac, vin liquoreux du Sud-Ouest, et le puissant châteauneuf-du-pape du Rhône.

lesquelles sont officialisées par un décret (qui peut parfois mettre plus de quinze ans à voir le jour).

Une garantie de qualité ?

Oui et non. La première garantie de l'AOC est l'origine du produit. Ensuite, la dégustation obligatoire d'agrément devrait constituer une assurance de qualité, mais elle présente des écueils. D'une part, cet agrément est plutôt laxiste : très peu de vins sont refusés après les multiples procédures d'appel entreprises par les producteurs ; d'autre part, il intervient alors que le vin n'est ni fini, ni assemblé. Les producteurs de montravel rouge et des côtes-de-bergerac ont montré la voie en instaurant un agrément supplémentaire après la mise en bouteilles : une véritable révolution dans les mentalités. Une procédure de contrôle en aval a été mise en place par la plupart des comités interprofessionnels, qui consiste à prélever des bouteilles sur les lieux de commercialisation et de les soumettre à un examen. Il ne s'agit que d'un pis-aller, car les bouteilles médiocres et leur producteur ne subissent aucune sanction, simplement des recommandations. La plupart des vins ont déjà été achetés par les consommateurs, portant atteinte à l'image de l'AOC.

[54] Existe-t-il des appellations d'origine dans le monde ?

Depuis 1970, l'Union européenne a adopté une classification des vins sur le modèle français : des vins de table et des vins de qualité produits dans une région déterminée, les VQPRD. Au sein de ce système, chaque pays possède son propre équivalent des appellations d'origine. Dans le Nouveau Monde, le temps est à la délimitation.

Le Portugal : Porto, 1761

C'est dans la vallée du Douro que fut délimitée l'une des premières aires viticoles d'Europe : celle du porto. En 1756, le Premier ministre, futur marquis de Pombal, créa une instance chargée d'organiser le marché du porto et de délimiter ses terroirs afin de combattre les fraudes. La délimitation fut achevée en 1761, puis notablement précisée au xxe siècle. D'autres aires allaient être définies avant les années 1930, comme le moscatel de Setúbal, le dão, le madère ou le vinho verde. Depuis l'entrée dans l'Union européenne, les vins portugais suivent la hiérarchie de la *Denominação de origem controlada*, des vins de pays (IPR, *Indicação de proveniência regulamentada*) et des vins de table.

Porto, emblème du Portugal.

L'Espagne : des aires toujours plus fines

La Rioja (1926), Jerez et Málaga furent délimitées dès le début du xxe siècle. Le pays possède aujourd'hui plus de cinquante DO (*Denominación de origen*), avec des mentions distinctes selon la durée de l'élevage des vins : *crianza* (moins de deux ans, dont un an en bouteille), *reserva* (trente-six mois, dont douze en fût de chêne pour les vins rouges), *gran reserva* (cinq ans dont vingt-quatre sous bois). Des productions reconnues historiquement portent la mention DOCa (*Denominación de origen calificada*), tels que les priorato et rioja. Une nouvelle appellation consacre des vignobles isolés, particulièrement qualitatifs : les DO *Pagos*. Les vins de pays sont appelés *vinos de la tierra*.

Rioja, prestigieuse appellation espagnole.

L'Italie : donner sens à l'appellation

L'Italie connaît une hiérarchie similaire avec la *Denominazione di origine controllata* et la *Denominazione di origine controllata e garantita* (DOCG, comme le chianti). Les vins de pays sont des IGT (*Indicazione geografica tipica*). Le système a pu montrer des failles (DOC mal définies, règles de production anciennes, peu propices à la qualité), qui ont conduit des producteurs prestigieux à s'en affranchir au profit de la catégorie vin de table (*cf.* p. 112). Actuellement, des règles plus strictes sont appliquées pour redonner tout son sens à l'appellation.

Italie : la DOC Montepulciano d'Abruzzo.

La Grèce : doux ou secs

Les vins doux, comme le muscat de Samos, constituent une tradition en Grèce depuis l'Antiquité. Le système d'appellation leur accorde une place à part : ils sont reconnaissables à la mention OPE sur l'étiquette et à leur sceau bleu. Les autres vins entrent dans la catégorie OPAP et portent un sceau rouge.

En Allemagne : la maturité fait la qualité

Les vins de qualité se partagent entre les catégories **QbA** (*Qualitätswein bestimmter Anbaugebiete*) et **QmP** (*Qualitätswein mit Prädikat*). Les premiers proviennent d'une région déterminée, dont le nom figure sur l'étiquette avec parfois ceux du cépage et d'une aire plus précise. Les seconds se subdivisent en six niveaux selon la maturité du raisin et sa richesse en sucre : *Kabinett* (bonne maturité), *Spätlese* (légère surmaturité), *Auslese* (sélection de grappes), *Beerenauslese* et *Trockenbeerenauslese* (grappe botrytisée), *Eiswein* (raisin gelé). À ces mentions s'ajoute celle de l'origine géographique : région (*Anbaugebiet*), sous-région (*Bereich*), aire viticole (*Großlage*), lieu-dit (*Einzellage*). Un modèle similaire est appliqué en Autriche et en Hongrie (le tokay, dont l'aire et les règles de production furent définies dès 1641, ainsi que le bikaver d'Eger bénéficient d'un statut particulier). Les vins de pays sont des *Landweine*.

Un Spätlese *de Hesse rhénane.*

Le Nouveau Monde délimite ses terroirs

• En **Afrique du Sud**, un système d'appellation d'origine (*Wine of Origin*) a vu le jour en 1973. Ce sont, par exemple, les aires de Stellenbosch et de Paarl.
• Aux **États-Unis**, après des années de négation du terroir, la Californie a entamé une réflexion sur le sujet. Les délimitations sont encore larges, mais la création d'AVA (*American Viticulture Areas*, aires viticoles américaines), depuis 1983, va dans le sens européen. Moins sophistiquée que le système français, l'AVA prévoit que 85 % du vin provient de l'aire délimitée, que le cépage mentionné sur l'étiquette représente 75 % de l'assemblage. Elle n'impose aucune contrainte quant au choix des cépages, aux rendements et aux conditions de production. Il existe près de cent cinquante AVA aujourd'hui (Mendocino et Napa Valley en Californie, Willamette Valley en Oregon, *etc.*).
• En **Australie**, un système d'indications géographiques a été mis en place en 1993, qui a abouti à la création de *Certified Appellation Wines* : Barossa Valley en Australie-Méridionale ; Hunter Valley en Nouvelle-Galles du Sud, par exemple.
• Depuis 1995, le **Chili** a défini des régions et des sous-régions autour de Santiago qui correspondent à des vallées propices à la vigne : Aconcagua, Valle del Maipo, Rapel, Curicó, Maule, Biobio.
• En **Argentine**, Luján de Cuyo, dans la province de Mendoza, fut la première appellation du pays.

Une organisation intergouvernementale : l'OIV

Fondé en 1924, l'Office international de la vigne et du vin (OIV) regroupe quarante-sept pays viticoles. Il coordonne la recherche sur le vin, étudie les effets bénéfiques du vin, s'intéresse à l'économie et aux problèmes sociaux du secteur vitivinicole mondial.

Dans la région du Cap, Stellenbosch est un terroir sud-africain de qualité.

Un zinfandel de Californie, Dry Creek Valley.

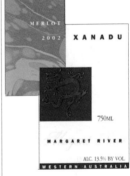

Margaret River, aire viticole du sud de l'Australie-Occidentale, propice au merlot.

Chardonnay de la vallée de Casablanca, au Chili.

[55] Qu'est-ce qu'un château ?

Le mot fait rêver des élégantes demeures entourées de leurs vignobles. Pourtant, la réalité n'est pas si simple, car une maisonnette peut aussi faire l'affaire lorsque le vigneron souhaite baptiser son vin d'un nom de château. Unique contrainte : les appellations d'origine ont seules droit à ce « titre de noblesse ».

Référence bordelaise

En Bordelais, un château renvoie à la notion de cru. C'est une propriété qui élabore son vin sous une marque : le nom du château. Réservé autrefois à quelques propriétés de prestige comme Haut-Brion dans les Graves bâti aux XVIe et XVIIe siècles, ce terme s'est généralisé à mesure que les propriétaires du Médoc se sont enrichis et ont construit d'ostentatoires demeures aux XVIIIe et XIXe siècles. Puis, il s'est appliqué à l'ensembles des vins de Bordeaux, avec parfois des abus regrettables. On a dénombré pas moins de sept mille étiquettes « Château » dans le Bordelais. Car la présence d'un vrai château n'est pas obligatoire pour revendiquer ce titre. Certains crus comme Château Léoville-Barton n'en possèdent pas. D'autres ne disposent que d'une construction purement utilitaire (un chai). Quant au négoce, il lui suffit d'être entouré par la voie publique.

☞ *Qu'est-ce qu'un cru classé du Bordelais ? p. 123*

Du château au mas

Le Bordelais n'a pas l'exclusivité des étiquettes au nom de château. Mais dans certaines régions, les règles, plus sévères, exigent une construction seigneuriale sur l'exploitation. Des noms comme domaine ou mas sont alors adoptés, certains vignerons ne craignant pas de prendre le contre-pied en dénommant leur propriété « grange ».

Au XIXe siècle, dans la région de Béziers, de riches négociants ont fait bâtir des châteaux qui n'ont rien à envier à ceux du Médoc. On les appelait « châteaux pinardiers », car ils étaient financés par ces vins languedociens produits en masse pour alimenter les régions du Nord. Certains sont aujourd'hui restaurés, d'autres bien défraîchis.

La mise en bouteille au château

La mention « mise en bouteille au château » sur l'étiquette garantit l'origine du vin. Autrefois, le vin était vendu en vrac ou en barriques

au négoce qui se chargeait de l'élever et de le mettre en bouteilles. Des bouteilles de Château Margaux pouvaient ainsi être conditionnées à Londres ou à Bruxelles. Autant dire que la porte était largement ouverte aux fraudes en tous genres. Le baron Philippe de Rothschild, propriétaire du célèbre Mouton-Rothschild, se battit pour imposer la mise en bouteille au château des crus classés du Bordelais, pratique aujourd'hui obligatoire.

Les caves coopératives peuvent utiliser cette mention uniquement lorsqu'elles vinifient et embouteillent le vin d'une propriété appelée château.

☛ *Qui produit ? p. 110*

Un château, un vin

De nombreux abus ont été commis dans l'usage du mot « Château » sur les étiquettes. Souvent, le même vin était vendu sous un nom de château différent, selon le marché visé. Aujourd'hui, seule une propriété née du regroupement d'anciens châteaux et dont les vins sont vinifiés et élevés séparément peut utiliser plusieurs noms de château.

[56] Qu'est-ce qu'un cru ?

Les liens étroits qui unissent le terroir et le vin ont été compris dès l'Antiquité. Le vigneron n'a cessé depuis de chercher les meilleures parcelles et de les protéger. Les crus qui tiennent aujourd'hui encore le haut de l'affiche ne doivent pas leur réputation aux médias, mais à des qualités attestées depuis des siècles.

Terroir délimité pour ses qualités, correspondant, selon les régions, à un lieu-dit, à une commune ou à un domaine viticole.

Une quête millénaire

Dans la Rome antique, certains terroirs jouissaient d'une large réputation pour la qualité de leurs vins, tel le falerne, vin blanc produit en Campanie dont on distinguait les crus selon que le raisin était récolté en haut des collines, à mi-pente ou à leurs pieds. À partir du Moyen Âge, les moines menèrent un minutieux travail de reconnaissance des meilleures parcelles, tels les Cisterciens en Bourgogne qui créèrent le célèbre clos de Vougeot. Outre-Rhin, les vignobles de Würztburg, en Franconie, furent classés en 1644, en quatre crus selon leur position sur les pentes ou en plaine. Il fallut attendre 1830 pour voir naître un premier système de classement des vins allemands reposant sur la richesse en sucre des raisins vinifiés (cf. p. 117).

Climats en Bourgogne

Comme les autres régions françaises, la Bourgogne possède des appellations régionales (bourgogne et bourgogne passetoutgrain par exemple), sous-régionales, communales ou *villages* (pommard). Certaines appellations sous-régionales rassemblent la production de plusieurs communes recensées (côte-de-nuits-villages). C'est à l'intérieur des appellations communales que la hiérarchie se complique, avec la notion de *climat*. En Bourgogne, un cru est un terroir finement délimité qui porte le nom d'un lieu-dit, d'un *climat* selon l'expression régionale. Dès le Moyen Âge, les moines définirent une hiérarchie des terroirs selon la qualité des vins produits. En 1855, le docteur Lavalle proposa une liste des meilleurs crus dans son ouvrage *Histoire et statistiques de la Côte d'Or*. Six ans plus tard, le Comité d'agriculture de Beaune

Échézeaux, grand cru de la côte de Nuits. Montrachet et corton-charlemagne, deux illustres grands crus blancs de la côte de Beaune.

Commune de la côte chalonnaise,
Givry possède aussi des climats,
mais non classés. Les Champs Gains
est un premier cru de l'AOC puligny-
montrachet.

allait s'en inspirer pour établir la classification destinée à l'Exposition universelle de Paris de 1862. Aujourd'hui, le classement est pratiquement identique.

Un *climat* est une entité cadastrale. Il peut se partager entre plusieurs propriétaires. Le terme traduit bien le rôle du microclimat dans la diversité des vins de Bourgogne. Lorsqu'ils proviennent de *climats* non classés, les vins se contentent de l'appellation communale. La mention du climat sur l'étiquette – assez rare – est alors laissée à la discrétion du vigneron ; elle doit apparaître en caractères inférieurs à celle de la commune.

Certains *climats*, dont la liste est officialisée par décret, sont classés en **premiers crus**. Leur nom figure sur l'étiquette dans les mêmes caractères que l'AOC communale (par exemple, pommard Les Grands Épenots ou pommard premier cru ou encore pommard premier cru Les Grands Épenots).

Au sommet de la hiérarchie, les *climats* classés **grands crus** sont des appellations d'origine à part entière : c'est le cas du chambertin grand cru, appellation qui ne doit pas être confondue avec l'AOC communale grevrey-chambertin.

☛ *Qu'est-ce qu'une appellation d'origine contrôlée ? p. 114*

Couples terroirs-cépages en Alsace

Les meilleurs terroirs historiques de l'Alsace viticole ont été classés en grands crus en 1975, 1983, 1992, 2001 et 2007. Au nombre de cinquante et un, ils correspondent, comme en Bourgogne, à des lieux-dits : Schlossberg sur la commune de Kientzheim, Sommerberg sur Niedermorschwihr, Schœnenbourg sur Riquewihr, Brand sur Turckheim, par exemple. Ces terroirs, situés dans les collines sous-vosgiennes,

Comprendre les grands crus de la Côte d'Or

Les grands crus bourguignons se situent tous en Côte d'Or, répartis entre Côte de Nuits qui produit des vins rouges, au nord, et Côte de Beaune, au sud, dont certains crus portent des vins blancs, tels corton-charlemagne ou montrachet. Certains d'entre eux appartiennent à un seul propriétaire, tel le Clos de Tart. Ce sont des « monopoles ». D'autres sont partagés. Ainsi du clos-de-vougeot : un peu plus de 50 ha divisés en parcelles appartenant à quatre-vingts propriétaires... Autant dire que les parcelles sont minuscules.

Certaines appellations communales associent au nom du village celui du grand cru prestigieux, ce qui prête souvent à confusion. Un vin de l'AOC gevrey-chambertin provient de la commune de Gevrey et non du grand cru chambertin. Si par sa différence de prix un puligny-montrachet ne peut être confondu avec un montrachet, le consommateur n'en devra pas moins être attentif au libellé de l'étiquette.

Kirchberg de Ribeauvillé,
un terroir marneux
favorable au riesling
et à une expression florale
et fruitée du cépage.

Le grand cru marno-calcaire de Hengst, à l'origine de vins de pinot gris élégants qui gagnent au cours de la garde des notes complexes de sous-bois et de fumée.

se distinguent par la qualité de leur sol et de leur exposition. Ils sont plus nombreux dans le Haut-Rhin. L'appellation alsace grand cru ne s'applique qu'aux cépages nobles : riesling, pinot gris, gewurztraminer et muscat. Les rendements autorisés sont certes plus faibles que dans la simple aire d'appellation alsace, mais n'en restent pas moins très confortables. Aussi de grands producteurs préfèrent-ils mettre en valeur leur marque ou le nom d'un clos particulier sur l'étiquette plutôt que le grand cru correspondant, dont ils jugent la notoriété insuffisante (le Clos Saint-Hune, par exemple, est situé dans le grand cru Rosacker).

De Saint Gall est une marque de l'Union Champagne d'Avize, importante coopérative.

Communes et prix du raisin en Champagne

En Champagne, les premiers et grands crus correspondent à des communes et non à des parcelles. Le système de classement est singulier, car lié à l'organisation si particulière de la production viticole champenoise. Beaucoup de vignerons se contentent de vendre leurs raisins aux grandes maisons champenoises qui les vinifient et mettent les vins sur le marché sous leur propre marque. Ce sont des vendeurs au kilo. Il fallait bien fixer le prix du raisin et réguler le marché. Dès la fin du XIXᵉ siècle, chaque commune a été cotée en fonction de la qualité de sa production : cette cotation, exprimée en pourcentage, de 80 à 100 %, est appelée « échelle des crus ». L'interprofession fixe un prix de référence pour le raisin ; les communes vendent ensuite leur vendange selon le pourcentage qui lui a été attribué, entre 80 et 100 % du prix de référence. Les communes classées à 100 % ont droit au titre de grand cru (dix-sept communes de l'Aube, comme Bouzy, Cramant, Avize,

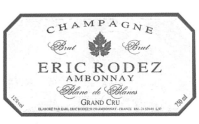

Ambonnay : grand cru de la Montagne de Reims.

Sillery), celles classés entre 90 et 99 % à celui de premier cru (trente-huit communes). Toutes les autres sont classées entre 80 et 89 %.

Porto : un travail de fourmi

La plus ancienne délimitation d'une aire viticole est celle du terroir de Porto, dans la vallée du Douro, réalisée de 1756 à 1761. Mais c'est au XXᵉ siècle, entre 1937 et 1945, que ce vignoble allait être classé avec une incroyable minutie. Il s'agissait une fois encore de fixer le prix du raisin en fonction de la qualité du terroir. 84 000 parcelles ont été étudiées à la loupe : leurs cépages, leurs rendements, la nature plus ou moins schisteuse de leur sol, leur pente, leur altitude, leur exposition... Elles ont ainsi été cotées sur une échelle allant de A à L. Seules celles classées jusqu'à F produisent du porto, les autres ne pouvant donner que des vins secs.

☞ *Existe-t-il des appellations d'origine dans le monde ? p. 116*

[57] Qu'est-ce qu'un cru classé du Bordelais ?

Le vignoble du Bordelais se répartit entre appellations régionales (bordeaux, bordeaux supérieur), sous-régionales (médoc, graves) et communales (pauillac, pomerol, sauternes, par exemple). Dans certaines aires d'appellation s'ajoutent des hiérarchies établies entre des domaines et non entre des terroirs. Ce sont les quatre classements du Médoc, du Sauternais, des Graves et de Saint-Émilion.

Le classement de 1855

Au milieu du XIXᵉ siècle, le Bordelais gagna de nombreux atouts commerciaux, d'une part grâce à la création du chemin de fer qui reliait Bordeaux à Paris et lui permettait d'écouler sa production sur le marché de la capitale, d'autre part grâce aux traités de commerce et à la politique de libre-échange de Napoléon III. Le Médoc allait en profiter plus largement que d'autres aires bordelaises, car les propriétaires de vignobles surent améliorer leurs techniques d'exploitation : ils drainèrent, amendèrent leurs sols, taillèrent leurs vignes selon les nouvelles conduites prônées par

Quatre premiers crus ont été classés en 1855 (trois pauillac, un margaux et le graves Haut-Brion), rejoints en 1973 par Mouton-Rothschild.

un certain docteur Guyot (*cf.* p. 34, la taille Guyot), firent progresser la qualité de leurs vins. En conséquence, les capitaux ne tardèrent pas à affluer dans la presqu'île, venus de Bordeaux comme de Paris : banquiers et négociants investirent dans la terre viticole. Les vins du Médoc et les liquoreux du Sauternais virent leur prestige s'accroître, portés par la parution de nombreux ouvrages sur le thème (dont le plus célèbre, *Bordeaux et ses vins*, est aujourd'hui connu sous le nom de son éditeur, Féret). Tout naturellement, ils furent choisis pour représenter la région lors de l'Exposition universelle de Paris de 1855. C'est à cette occasion et à la demande de l'empereur que les courtiers de la chambre de commerce de Bordeaux établirent un classement officiel des vins du Médoc (plus un vin des Graves, Haut-Brion) et de Sauternes en

fonction de leurs prix étudiés sur une longue période de référence. Ce sont les marques, les noms des châteaux, qui ont été classés et non l'entité cadastrale. Les médoc se répartissent en cinq catégories, du premier cru classé au cinquième cru classé, les sauternes et barsac entre premiers crus et seconds crus classés (le Château d'Yquem est un premier cru classé supérieur). Hormis le passage de Mouton-Rothschild au rang de premier cru en 1973, ce classement n'a pas subi de révision malgré quelques tentatives infructueuses ; il est considéré comme intangible.

Le classement des Graves

Oublié du classement de 1855 car le vignoble des Graves était alors ravagé par l'oïdium, la région des Graves a classé ses meilleurs crus rouges en 1953 et blancs en 1959. Il n'existe qu'un seul niveau de hiérarchie, les crus étant listés alphabétiquement. Les propriétés peuvent être classées pour leur vin blanc, pour leur vin rouge ou dans les deux couleurs. Toutes se situent aujourd'hui dans l'aire d'appellation pessac-léognan. Haut-Brion est la plus célèbre d'entre elles.

Le classement de Saint-Émilion

À l'intérieur de l'aire d'appellation saint-émilion grand cru, un classement a été établi en 1955, révisable tous les dix ans sur la base d'une dégustation des dix derniers millésimes. Il s'applique aux entités cadastrales, c'est-à-dire au terroir de la propriété qui n'a pas le droit de s'étendre. Il distingue quarante-six

Le château d'Yquem a été classé premier cru supérieur du Sauternais. Latour-Martillac bénéficie du classement des graves en rouge comme en blanc.

Pomerol, l'irréductible

L'aire d'appellation pomerol possède des vins parmi les plus chers de Gironde, tels Petrus ou Château l'Évangile. Pourtant, elle n'a jamais cédé aux sirènes du classement. Pourquoi ? Peut-être parce que les propriétés sont de taille modeste et qu'une hiérarchie s'y est établie naturellement, sans être officialisée.

grands crus classés et quinze **premiers grands crus classés**, ces derniers étant divisés entre deux

Ausone et Cheval Blanc, têtes de proue des saint-émilion grands crus classés.

catégorie A (Ausone et Cheval Blanc) et B (treize crus classés). Quand arrive la date fatidique de la révision du classement, la fièvre monte sur la colline aux mille crus. La dernière a eu aura lieu en 2006.

Bourgeois, paysan, artisan...

Bourgeois ? En effet, ces crus appartenaient autrefois à la bourgeoisie bordelaise. Non classés en 1855, ils ont fait l'objet d'une hiérarchie distincte, révisée en 2003 : les châteaux sont répartis entre crus bourgeois, crus bourgeois supérieurs et crus bourgeois exceptionnels. Cette révision a été contestée devant les tribunaux, et annulée. Les dénominations « cru paysan » et « cru artisan » évoquent également l'origine sociale des propriétaires, souvent adhérents de coopératives. Elles se font de plus en plus rares sur les étiquettes, car nombre de ces crus ont été rachetés par des domaines plus importants qui

cherchent à accroître la taille de leur vignoble.

☞ *Qu'est-ce qu'un second vin ?* p. 128

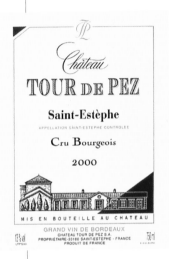

Citran était autrefois une vaste seigneurie médocaine ; il est aujourd'hui un cru bourgeois de l'appellation haut-médoc.

[58] Faut-il faire confiance aux classements ?

Se fier aux classements peut être une solution de facilité pour celui qui n'a que peu d'expérience de l'univers du vin. Toutefois, l'amateur curieux découvrira que certains vins non classés méritent au moins une aussi grande attention pour leur qualité intrinsèque.

Obsolète, le classement de 1855 ?

Le classement de 1855 est réputé intangible : les multiples tentatives de révision (1961 par exemple) se sont heurtées aux intérêts de la « rente de situation ». Depuis cette célèbre date, les propriétés ont évolué, souvent en accroissant la taille de leur vignoble ; certaines ont disparu, d'autres se sont regroupées ou divisées, ont plusieurs fois changé de mains. Mais parce que c'est la marque et non le terroir qui a été classé, leur rang a perduré. En conséquence, la qualité des vins a pu connaître des variations importantes, souvent sanctionnées par le marché qui rétablit une juste vérité. Ainsi trouve-t-on aujourd'hui des cinquièmes crus classés, tel Château Lynch Bages, vendus au prix des seconds et des seconds qui ont perdu leur statut dans les mercuriales.

Reste que les courtiers ne s'étaient pas trompés à leur époque : les crus classés occupent toutes les belles croupes ou les sommets de croupes, et il ne reste pas grand-chose aux autres, sauf peut-être à Saint-Seurin-de-Cadourne où la croupe graveleuse du château Sociando-Malet avait échappé à leur sagacité. La qualité du terroir est indéniable, plus ou moins bien mise en valeur par les hommes en charge des crus. Le statut de cru classé incite le plus souvent les propriétaires à investir et à exploiter soigneusement leur propriété pour faire honneur à leur rang et vendre leur vin au prix correspondant.

Pour la révision des classements

Réviser régulièrement un classement, comme à Saint-Émilion, permet de suivre l'évolution positive ou négative des propriétés et d'éviter que les terroirs ne s'étendent abusivement. Néanmoins, il est rare d'assister à des remaniements profonds (et douloureux) et il faut bien avouer que la liste ne subit que peu de variations. Peut-être parce que les propriétaires s'efforcent de mériter leur classement.

Bon vigneron vaut mieux que mauvais cru classé

En Bourgogne, le classement officiel des *climats* (donc des terroirs) n'est pas toujours bon conseiller : il est fréquent que leur hiérarchie transparaisse davantage dans leurs prix que dans leur qualité. Fiez-vous au millésime et à la réputation du vinificateur en vous aidant de guides d'achat. Les quatre-vingts propriétaires du Clos de Vougeot n'ont pas le même souci d'excellence ni le même talent, et pourtant leurs vins jouissent tous de l'appellation grand cru. Il peut être préférable d'acheter un vin d'appellation communale chez un bon vigneron plutôt qu'un grand cru chez un autre. En revanche, chez un même producteur – un grand négociant vinificateur, par exemple –, la hiérarchie est respectée : la gamme des crus proposés reflète bien les caractéristiques des différents terroirs.

☞ *Qu'est-ce qu'un cru ?*
p. 120

[59] Qu'est-ce qu'une cuvée spéciale ?

Vous avez dit « spécial » ? Mais en quoi sont-elles spéciales ces cuvées au nom flatteur, censées représenter le haut de gamme de la production d'un vigneron ou d'une maison ? Officiellement rien ne les définit. À l'amateur de s'informer sur les compétences du vinificateur et sa réputation pour bien les choisir.

> Une cuvée est un lot de vin
> – à l'origine une cuve –,
> embouteillé à part et
> commercialisé sous un nom
> particulier.

Une garantie de qualité ?

Le terme de cuvée indique simplement que le vin embouteillé provient d'un lot ou d'un assemblage particulier. Ce n'est pas une garantie de qualité. Tous les noms sont admis pour désigner une cuvée, depuis les classiques Réserve et Tradition jusqu'aux dénominations les plus variées : nom du président de la cave coopérative, prénom de la fille du vigneron, références régionales, historiques ou événementielles telles les nombreuses cuvées de l'an 2000. Seules les références qui pourraient induire le consommateur en erreur et prêter à confusion avec les appellations d'origine sont interdites par la Répression des fraudes. Les cuvées dites « vieilles vignes » ne sont soumises à aucune réglementation.

Quel prestige ?

En général, une cuvée de prestige correspond au vin de haut de gamme de la propriété,

issu des meilleurs raisins et élevé le plus soigneusement, et souvent élevée en barrique (avec parfois quelques excès !).

En Champagne, les cuvées spéciales, très souvent millésimées, bénéficient d'un élevage sur lattes ou sur pointe plus long que les autres cuvées (*cf.* p. 79) ; leurs vins de base peuvent séjourner sous bois. Des soins attentifs qui expliquent leur prix élevé. Eugène Mercier fut le premier à lancer une cuvée spéciale : la cuvée de l'Empereur destinée à Napoléon III. La maison Roederer lui emboîta le pas dès 1876 avec un champagne réservé au tsar Alexandre II, la cuvée Cristal. Enfin, apparut en 1936 le Dom Pérignon de Moët et Chandon, dont les caisses voyagèrent vers New York à bord du paquebot *Normandie*. Comtes de Champagne de Taittinger, Grande Année, R.D. (Récemment Dégorgé) et Vieilles Vignes françaises de Bollinger, Clos du Mesnil de Krug (champagne blanc de blancs millésimé), Grand Siècle de Laurent-Perrier (non millésimé) sont quelques autres célèbres cuvées spéciales. La majorité d'entre elles sont présentées dans des bouteilles de forme originale. En Bordelais, les cuvées de prestige de sauternes sont souvent dénommées Tête de cuvée ou Crème de tête.

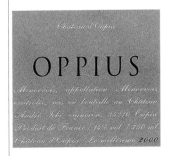

[60] Qu'est-ce qu'un second vin ?

Goûter aux charmes d'un cru classé... Un rêve souvent inaccessible à la bourse de l'amateur. Mais un avant-goût de la noblesse peut lui être donné grâce à des vins produits dans le sillage de leurs grands frères, selon les mêmes règles ambitieuses d'élaboration.

Vin produit par un château du Bordelais à partir des plus jeunes vignes ou des cuves écartées de l'élaboration du grand vin.

Ils tiennent leur rang

S'ils se sont développés dans les années 1980, les seconds vins existaient déjà au XVIIIe siècle et trouvèrent au début du XXe siècle un fer de lance avec l'apparition en AOC pauillac des Carruades de Lafite, produit par le château Lafite-Rothschild, premier grand cru classé en 1855. Dans un souci constant d'améliorer la qualité de leurs grands vins, les crus classés ont dû sélectionner plus rigoureusement leur vendange : privilégier le fruit des vignes âgées, plus concentré, les terroirs les mieux exposés d'un vignoble qui couvre de vastes superficies. Or, les raisins restants, souvent issus de ceps plus jeunes, présentent une qualité très honorable dans les bons millésimes. Ils vont donner naissance à un second vin étiqueté sous la même appellation que son aîné, vinifié dans les mêmes installations et avec les mêmes compétences humaines. La décision d'élaborer un second vin peut être prise après la vinification, lorsque chaque cuve fait l'objet d'une dégustation d'assemblage ; celles qui sont écartées de la composition du grand vin servent au second. Aujourd'hui, le nombre de seconds vins a considérablement augmenté : la pratique n'est pas réservée aux seuls crus classés du Bordelais. Les crus bourgeois s'en sont emparés. Dans d'autres régions, certains producteurs ont tenté de produire des seconds vins en les étiquetant sous des noms de cuvées.

☛ *Qu'est-ce qu'un cru classé du Bordelais ? p. 123*
  Qu'est-ce qu'une cuvée spéciale ? p. 127

Bien choisir ses seconds vins

Tout dépend du millésime. Dans une bonne année, le second vin peut atteindre un haut niveau de qualité, alors qu'un millésime moins faste lui laissera peu de chance de s'exprimer. Certains châteaux renoncent à produire leur grand vin dans les années très médiocres : leur second vin n'est alors qu'une maigre consolation.

Dans le meilleur des cas, le second vin offre d'indéniables avantages. Plus souple que le cru classé, il peut être apprécié après une moindre garde en bouteille. Élaboré selon la même philosophie, il possède quelques traits caractéristiques de son aîné : élégance ou puissance, bouquet. Autre atout, son prix est inférieur d'environ 25 % à celui de son aîné.

Les crus classés élaborent même parfois un troisième vin, dont l'intérêt est alors plus discutable pour l'amateur.

[61] Qu'est-ce qu'un vin de garage ?

Ils ont obtenu les meilleures notes aux concours internationaux, ont reçu les éloges de critiques mondialement réputés pour leur densité et leur concentration. Les vins de garage étonnent depuis le début des années 1990. Leur point commun : une production inférieure à 20 000 bouteilles, un élevage sous bois neuf poussé à l'extrême, des prix de vente plus élevés que ceux des grands crus.

> Vin très concentré produit en volumes confidentiels, issu d'une sélection rigoureuse de raisins et soumis à un élevage en fût neuf.

Histoire d'une mode

C'est à Pomerol, là où les crus classés n'existent pas, qu'est né le premier vin de garage. En 1979, Jacques Thienpont, propriétaire de Vieux Château Certan, acquiert Le Pin : moins de 2 ha de vignes. Il commence alors à élaborer des microcuvées concentrées qui font fureur auprès des collectionneurs et finissent par se vendre à des prix dépassant l'imagination. Au début des années 1990, alors que les millésimes se suivent sans grand éclat, un autre producteur du Bordelais, Jean-Luc Thunevin, se fait un nom sur une petite parcelle de 2,5 ha en AOC saint-émilion grand cru, dont le vin est élevé dans des locaux de fortune, un garage : le Valandraud est produit à

12 000 bouteilles et vendu à plus de 200 euros aux enchères. Les vins de garage ne sont plus un phénomène exclusivement bordelais ; ils se sont aujourd'hui développés dans tous les pays producteurs de vin.

Des prototypes

Il est toujours facile pour un vigneron d'isoler une parcelle de vieilles vignes, de sélectionner des raisins très mûrs, de procéder à de longues

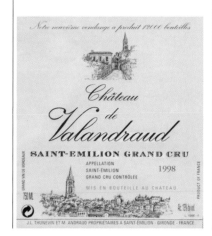

macérations et d'investir dans des barriques neuves pour élaborer entre 2 000 à 3 000 bouteilles de haut de gamme qui impressionneront la presse et les jurys de concours. Outre le fait que ces lots n'ont pas de réalité commerciale (les bouteilles sont introuvables et leur prix dépasse souvent celui des grands crus), le vin ne représente ni l'ensemble de la propriété, ni le savoir-faire réel du vigneron. Au contraire, les microcuvées appauvrissent les assemblages des autres vins du domaine. Elles doivent être considérées comme des prototypes. Il semble que cette mode soit en train de passer, seuls les vins sérieux ont perduré.

Le Château de Valandraud, un vin très concentré et boisé, emblématique des vins de garage.

[62] Qu'est-ce qu'un millésime ?

Grâce aux techniques modernes de l'œnologie, il n'existe plus aujourd'hui de millésimes catastrophiques, mais beaucoup de millésimes moyens. L'amateur s'intéresse de près à cette date inscrite sur l'étiquette de ses bouteilles, susceptible de lui indiquer la qualité du vin.

Année de récolte et de naissance du vin.

Date anniversaire

La mention du millésime apporte une garantie sur l'âge du vin. Elle permet à l'amateur de suivre le vieillissement de ses bouteilles, de prévoir leur apogée et donc de fixer le meilleur moment pour les ouvrir. Si dans les grands millésimes, les vins sont aptes à une longue garde et ne doivent pas être servis trop tôt (à l'amateur d'être patient...), ceux de petits millésimes sont à boire jeunes, sur leur fruit. Lorsque l'on a acheté plusieurs caisses d'un même millésime, il est conseillé d'ouvrir et de déguster régulièrement une bouteille afin de suivre l'évolution du vin en cave jusqu'à son apogée.

☛ *Quand faut-il boire le vin ?*
   p. 134

Prédire le millésime

Un bon millésime s'apprécie en termes non seulement de quantité produite mais aussi de qualité. Les conditions de sa réussite sont un climat chaud, une répartition des précipitations et surtout une période de vendange sèche. « Août fait le moût, septembre fait le vin », dit un dicton populaire. Les mauvais millésimes résultent de saisons estivales froides et pluvieuses qui dégradent l'état sanitaire des raisins (pourriture), de vendanges arrosées. Toutefois, trop de soleil, comme en 2003, peut provoquer des grillages, des blocages de maturation et des vendanges déséquilibrées.

☛ *Que contient un grain de raisin ? p. 30*
☛ *Qu'est-ce que le climat ? p. 54*

Amadouer le millésime

Les bons terroirs bénéficient d'une alimentation hydrique régulière. Le sol doit permettre à l'eau de s'évacuer aisément, afin que les ceps ne restent pas les pieds dans l'eau après des pluies excessives. Ajoutons la compétence des hommes sur de tels terroirs : ils ne doivent pas hésiter à sacrifier une partie de la récolte lors de vendanges en vert pour favoriser l'aération et la maturation des raisins restants. En année trop sèche, marquée par la canicule, la capacité de rétention de l'eau (sols argileux) est un atout.

APPELLATION D'ORIGINE CONTRÔLÉE — Mise en bouteille au Château

Château Croque Michotte
Grand Cru Classé
St Emilion
Geoffrion, Propriétaire 1955

Les vins produits dans les régions septentrionales sont davantage soumis à l'effet millésime : le climat variable tantôt favorise tantôt handicape la maturation du raisin. Dans ces régions, l'altitude, l'exposition, la capacité des sols à retenir la chaleur compensent les aléas du climat. Dans les régions méridionales, le climat est plus régulier, mais le millésime peut être affecté par la sécheresse, les orages et la grêle. Les aires viticoles en pente orientées au nord (comme Palette en Provence) ou situées en altitude (Limoux en Languedoc) peuvent échapper aux trop grosses chaleurs.

1943 : un millésime de collection. Le climat Les Quatre Journaux, dans le grand cru romanée-saint-vivant (côte de Nuits, en Bourgogne), appartient à la maison Latour depuis 1898.

Les tables de millésimes

Les notes attribuées aux millésimes, souvent trop larges, n'indiquent qu'une tendance générale. Pour un même millésime et une même appellation, on observe de grandes variations d'une parcelle ou d'un domaine à l'autre : des différences tantôt naturelles, tantôt à attribuer au vigneron qui, par son savoir-faire, aura pu minimiser les aléas de l'année (le Domaine de Chevalier 1965 fut un grand pessac-léognan, alors que le millésime était jugé très mauvais). Les tables de millésimes ne sont ainsi que des mémentos. De même, il faut se méfier de l'appréciation d'un millésime lors des dégustations précoces destinées à la vente des vins en primeur. Les échantillons ne représentent qu'approximativement l'assemblage final et le vin commence à peine son élevage. Beaucoup de grands dégustateurs et pas mal de gourous ont pu se tromper radicalement sur la qualité d'un millésime dégusté dans ces conditions. Juger un millésime exige de prendre du recul.

☛ *L'achat en primeur p. 147*

Le millésime se perdrait-il ?

Dans l'Union européenne, la mention du millésime impliquait que le vin était issus à 100 % de l'année indiquée, mais l'Europe s'est alignée sur la règle en vigueur dans certains pays extérieurs à l'UE, et qui tolère une proportion de 15 % d'une autre année. Les textes nationaux peuvent rester plus restrictifs cependant. Un peu de rêve en moins, un pas vers la standardisation, ou un gage de régularité.

Des vins non millésimés

Alors que la mention du millésime est interdite sur l'étiquette des vins de table, les vins de pays ou d'appellation portent clairement l'année de leur naissance. Toutefois, il existe des exceptions : les champagnes bruts sans année, certains portos et xérès. Point commun de ces vins : ils résultent de l'assemblage de plusieurs récoltes. En Espagne, les rioja étaient autrefois étiquetés sous leur compte d'âge (cinq ans, dix ans). Cette pratique a disparu, sauf pour certains vins de liqueur et vins doux naturels.

[63] Comment évolue le vin ?

Produit biologique, donc vivant, le vin connaît tous les âges de la vie : la jeunesse, la maturité, le déclin. Quelques indices permettent à l'amateur de savoir à quel stade de son évolution une bouteille est parvenue : la couleur change, les arômes évoluent vers plus de complexité, les tanins s'assouplissent et se fondent à la matière du vin.

Le vin a une espérance de vie

Chaque vin a une espérance de vie distincte en cave, appelée potentiel de garde, qui dépend de son origine géographique, du millésime, de sa matière première, de son mode d'élaboration et d'élevage. S'il a acheté une ou plusieurs caisses d'un même vin, l'amateur peut en tracer la courbe d'évolution au fil de ses dégustations. Le vin se bonifie plus ou moins rapidement jusqu'à atteindre son **apogée**, c'est-à-dire sa qualité maximale : un vin modeste y parviendra en un an, un grand cru en dix ou vingt ans. Ensuite, le vin décline, puis meurt. Un grand vin se distingue par la durée de son apogée : il reste plus longtemps en pleine forme que les autres. C'est l'oxygène contenu en très faible quantité dans le vin qui fait évoluer ses composants de manière favorable. En revanche, son excès provoque une madérisation : le vin prend précocement une couleur brune et un goût de cuit qui rappelle le vin portugais produit sur l'île de Madère.

Passent les couleurs

• **En rouge.** Un vin rouge jeune est marqué par une couleur vive, rouge cerise, avec des reflets bleutés, violacés caractéristiques. Au cours du vieillissement, cette teinte prend une nuance orangée perceptible sur les bords du verre – la frange du vin –, puis évolue vers le brun. Les vins doux naturels rouges dévoilent souvent des nuances tuilées lorsqu'ils atteignent un grand âge. Ce changement est dû à l'action de l'oxygène sur les polyphénols et donc sur les pigments anthocyanes.

• **En blanc.** Du jaune pâle à reflets verts, signe de jeunesse, un vin blanc passe à une couleur paille doré, puis à un or cuivré lorsqu'il est âgé. Une teinte ambrée signale

que l'apogée est largement dépassée, sauf dans le cas des vins doux naturels aptes à une très longue garde.

• **En rosé.** S'il existe une palette infinie de rosés (œil-de-perdrix, saumon, rouge très clair), une nuance jaune ou pelure d'oignon indique que le vin commence à décliner.

Changent les arômes

La palette aromatique d'un vin jeune mêle les arômes issus du couple cépage-terroir (les **arômes primaires** ou **variétaux**) à ceux qui se sont créés pendant la vinification (les **arômes secondaires**). Dans la bouteille, ces composés s'oxydent ou se réduisent pour former, petit à petit, le **bouquet** : les **arômes tertiaires**.

S'ouvrira, s'ouvrira pas ?

Vous avez goûté une première bouteille de votre caisse il y a un an : le vin offrait déjà de forts jolis arômes. Mais voilà qu'aujourd'hui il se montre bien moins expressif, timide. Tout serait-il déjà fini pour lui ? Pas de conclusion hâtive : le vin s'est simplement refermé. Cette fermeture peut se produire après la mise en bouteilles, dans la jeunesse des grands vins tanniques, parfois même d'une manière cyclique dans la vie des vins de garde. Patientez et laissez-lui le temps de se rouvrir...

Les arômes primaires évoquent les fleurs, le végétal, les fruits, parfois les épices (poivre) et les minéraux (pierre à fusil des vins blancs de Chablis, par exemple). Les arômes secondaires rappellent la brioche, la mie de pain, le beurre, la noisette fraîche, la banane ou le bonbon anglais (bonbon acidulé). Les arômes tertiaires sont riches de nuances dans toutes les familles aromatiques : fleurs séchées, fruits secs, fruits rouges en confiture, cuir, gibier, sous-bois et truffe, miel et pâte d'amandes (dans les vins blancs). L'élevage sous bois laisse sa trace dans des touches épicées de vanille, de cannelle, dans des notes torréfiées de pain grillé, de cacao, de café ou tout simplement de bois neuf.

☞ *Comment déguster ? p. 154*

Et le tout s'arrondit

Au fur et à mesure de leur oxydation lente, les tanins et les anthocyanes se polymérisent : ils forment des molécules plus grosses. Résultat ? La sensation d'astringence diminue, le vin gagne à la fois en harmonie et en lissé.

Plus tard, lorsque l'apogée de la bouteille sera dépassée, ces tanins s'amaigriront et le vin deviendra plus mince jusqu'à sécher et se décharner. Sa mort est alors imminente.

Secrets de la garde

Le vin rouge bénéficie d'antiseptiques naturels qui le protègent des attaques bactériennes : l'alcool, les tanins et une acidité élevée. En revanche, il se protège plus difficilement de l'oxydation, car si les tanins sont naturellement anti-oxydants, encore faut-il qu'ils aient été stabilisés par un élevage adéquat : le séjour en barrique est à ce titre irremplaçable. Ce n'est pas la quantité de tanins qui compte, mais leur aptitude à piéger les radicaux libres, responsables de l'oxydation. Croire qu'un vin très astringent est capable de bien vieillir est une erreur. Au contraire, il séchera plus vite qu'un vin aux tanins mûrs. En revanche, des tanins trop mûrs, souvent associés à une acidité basse, ont peu de chance d'étayer un vin pour une longue garde. Les vins blancs ne possèdent pas de tanins ; pourtant certains d'entre eux ont un potentiel de garde exceptionnel. L'acidité est un atout essentiel, comme en attestent les rieslings allemands ou alsaciens, les vins de chenin de la Loire ou de petit manseng de Jurançon. Dans le cas des vins relativement faibles en acidité, comme les bourgognes ou l'hermitage de la vallée du Rhône, aucune explication scientifique de leur longévité n'a pu être fournie : la densité de la matière et l'équilibre original de ces vins pourraient être des facteurs déterminants.

[64] Quand faut-il boire le vin ?

Le vin ? Buvez-le quand il vous donne le plus de plaisir. Si vous connaissez a priori le potentiel de garde du cru, rien ne remplace le contrôle par la dégustation. Vous pouvez y procéder vous-même, vous fier à des guides d'achat, solliciter l'avis de sommeliers ou, pourquoi pas, du producteur.

Soyez un fin stratège

Lorsque vous achetez un vin destiné à la garde, la meilleure formule consiste à acheter deux caisses. L'une pour suivre l'évolution du vin : vous en dégusterez une bouteille tous les ans ou tous les deux ans. L'autre pour apprécier pleinement le vin à son apogée, quand il sera à votre goût.

Pour ne jamais être à court

Si vous souhaitez disposer à tout moment d'un nombre suffisant de bouteilles parvenues à leur apogée, achetez des vins qui n'ont pas le même potentiel de garde, si possible dans des régions et dans des appellations différentes pour varier les possibilités d'accords gastronomiques. Encavez des vins promis à une garde de cinq, huit, dix, quinze ans et plus, sans oublier de renouveler les bouteilles déjà bues. L'achat aux enchères de vieux millésimes permet de compléter sa gamme, mais la prudence s'impose.

☞ *Peut-on spéculer sur le vin ?*
p. 147

Faites le bon choix

• Les cépages

Certains vins sont réputés mieux vieillir que d'autres : les cabernet-sauvignon et pinot noir de grande origine ont plus de longévité que les merlot ou grenache.

• Le millésime

Les millésimes les plus riches ne sont pas forcément les meilleurs. Ce sont les vins issus de millésimes équilibrés qui vieillissent le mieux. La clé de la longévité d'un vin blanc est son niveau d'acidité : trop élevé et le vin reste raide ; trop faible et il apparaît mou, évolue précocement. Le bon vieillissement des vins rouges est déterminé par la maturité des tanins. Les petits rendements favorisent la concentration de la matière, ainsi que l'harmonie entre l'acidité, le moelleux et l'astringence du vin.

• Le producteur

À chaque producteur sa philosophie de la vinification et de l'élevage. La façon dont il extrait les meilleurs composants du raisin (*cf.* p. 70) détermine en partie la qualité des tanins et donc la longévité du vin. Des vins surextraits impressionnent

Suivez le guide ?

Les appréciations publiées dans les magazines spécialisés et les guides sont très utiles. Cependant, sachez que le vin peut évoluer selon ses conditions de garde dans votre cave et qu'il ne ressemblera pas toujours fidèlement aux commentaires de dégustation. De même, les notes attribuées lors des dégustations en primeur des grands crus du Bordelais sont à considérer avec prudence : les spécialistes – courtiers et négociants – dégustent des échantillons de crus prélevés sur cuves ou sur fûts, avant assemblage ; or, un accident est toujours possible entre l'élevage et la mise en bouteilles, et les échantillons proposés sont souvent choisis pour leur aspect précocement flatteur.

☞ *Qu'est-ce qu'une bonne cave ?*
p. 137
Comment et où acheter ?
p. 146

dans leur jeunesse par la densité de leur couleur et de leur matière, mais ils risquent de s'effondrer au bout de quelques années. Là encore, rien ne saurait remplacer des dégustations régulières pour se faire une opinion et surtout la rencontre des producteurs, notamment lors des foires aux vins ou de séjours dans les vignobles.

Vignoble par vignoble : des vins à garder

Alsace

Les rieslings secs peuvent être conservés entre cinq et dix ans. Mais ce sont les vins de vendanges tardives ou de sélection de grains nobles, issus de pinot gris et de gewurztraminer, qui vieillissent le plus longtemps : de cinq à vingt ans.

Bourgogne

En blanc comme en rouge, les grands crus doivent être attendus au moins cinq ans ; ils peuvent ensuite être appréciés jusqu'à leur quinzième année, voire plus. Les premiers crus et les *villages* sont à boire dans les cinq ans. En Bourgogne, la signature du vigneron importe parfois plus que la provenance géographique du vin et peut bousculer les hiérarchies.

Bordelais

En blanc, les pessac-léognan, surtout les crus classés, peuvent atteindre après dix ans de garde une grande complexité. En rouge, les vins de la rive gauche, tels les médoc et les graves, vieillissent

lentement ; leur apogée se situe entre neuf et vingt ans d'âge. Une fois encore, les crus classés ont une longévité supérieure. Les vins de la rive droite (saint-émilion, pomerol), plus riches en merlot, s'expriment plus tôt, dès six ans, tout en bénéficiant d'un excellent potentiel de garde (vingt ans). Quant aux sauternes, les grands crus paraissent éternels ; les autres peuvent être bus dans leur prime jeunesse et jusqu'à quinze ans.

Champagne

Un champagne peut vieillir très longtemps... tant qu'il n'est pas dégorgé, c'est-à-dire mis sur le marché. Une fois dans votre cave, bien au frais et à l'abri de la lumière, un champagne peut être conservé entre cinq et dix ans s'il s'agit d'une cuvée spéciale ou d'un millésimé de qualité.

☞ *Comment élaborer un vin effervescent ? p. 79*

Jura

Les vins jaunes sont de très longue garde (de dix à trente ans, parfois bien plus). Les vins de paille, liquoreux, peuvent être conservés dix ans. Les autres vins évoluent rapidement : trois ans pour les blancs, cinq ans pour les rouges.

☞ *Qu'est-ce qu'un vin de voile ? p. 102*

Vallée de la Loire

La longévité des vins de chenin, qu'ils soient secs (AOC savennières) ou moelleux (coteaux du Layon, bonnezeaux, quarts-de-chaume ou

vouvray) n'est plus à démontrer : de cinq à... trente ans. En revanche, les vins rouges sont rarement des vins de garde, à l'exception toutefois des chinon et bourgueil (de cinq à dix ans).

Provence et Languedoc-Roussillon

Les vins méditerranéens ont tendance à évoluer rapidement. Des exceptions : bandol et palette en Provence, ainsi que quelques crus du Languedoc comme saint-chinian, faugères, certains corbières et minervois (de quatre à huit ans). Les vins doux naturels issus du grenache (banyuls, maury) peuvent être conservés entre vingt et trente ans.

Vallée du Rhône

Les côte-rôtie et hermitage blancs et rouges vieillissent le mieux (de cinq à vingt ans). Les condrieu (vins blancs) se boivent plus jeunes, entre deux et cinq ans. Dans la partie méridionale du Rhône, le châteauneuf-du-pape dément l'idée que le grenache évolue trop vite : les meilleurs domaines produisent des bouteilles capables d'affronter une garde de cinq à quinze ans.

Sud-Ouest

Cahors et madiran en rouge (de cinq à quinze ans), jurançon (de cinq à vingt ans) et jurançon sec (de deux à dix ans) en blanc sont les vins les plus aptes à la garde.

Afrique du Sud

Les vins blancs secs méritent d'être bus entre deux et cinq ans, les vins

Renseignez-vous sur la longévité des vins afin de les déguster à leur meilleur niveau.

rouges (cabernet-sauvignon) entre cinq et huit ans. Les liquoreux, comme le Constantia, affrontent aisément le temps (dix à trente ans).

Allemagne

Les grands rieslings secs et, *a fortiori*, les liquoreux (*Auslese, Beerenauslese, Trockenbeerenauslese*) jouissent d'un très grand potentiel : de dix à quinze ans pour les premiers, jusqu'à trente ans pour les seconds.

Argentine

Malbec et merlot produisent des vins aptes à un vieillissement de deux à huit ans.

Australie

La shiraz et le cabernet-sauvignon ont la capacité de se bonifier une huitaine d'année. Attendez au moins trois ans avant d'ouvrir leurs bouteilles.

Californie

Les vins rouges sont de moyenne garde (cinq à dix ans), mais les bouteilles de certains domaines font exception.

Chili

Les cabernet-sauvignon et merlot peuvent se bonifier en cave jusqu'à huit ans.

Espagne

Les vins dénommés *reserva* et *gran reserva*, tels les rioja, ont connu un long élevage sous bois et en bouteille avant d'être mis sur le marché. Une fois sur les rayons, ils sont donc prêts à boire. En revanche, les *crianzas*, élevés comme des bordeaux, constituent des bouteilles de garde (de cinq à dix ans selon leur qualité). Généralement, les vins blancs sont à boire dans l'année. Les xérès *olorosos* méritent d'être dégustés entre cinq et quinze ans.

Italie

L'Italie produit de grands vins rouges aptes à un vieillissement de quinze ans et plus : barolo, barbaresco du Piémont, montepulciano ou montalcino de Toscane. Les chianti classico sont de moins longue garde (de trois à dix ans). Si les vins blancs secs doivent être bus rapidement, les liquoreux peuvent patienter une décennie : vin santo de Toscane, picolit du Frioul ou malvasia delle Lipari.

Nouvelle-Zélande

Une garde de cinq à huit ans est à la portée des vins de cabernet-sauvignon, notamment de ceux de Hawkes Bay. Les vins blancs de sauvignon ont une longévité de deux à cinq ans.

Uruguay

Les vins de tannat acceptent une dizaine d'années de garde.

[65] Qu'est-ce qu'une bonne cave ?

Votre cave doit offrir au vin un cadre favorable à un vieillissement lent et harmonieux. Qu'elle soit aménagée au sous-sol de votre maison, dans un box de votre immeuble ou dans un garage, quelques règles d'or sont à respecter.

Sept mots d'ordre

1. Une température constante.

L'idéal se situe autour de 12 °C. Le vin déteste les écarts brusques de température, mais s'accommode de variations lentes. Ainsi le passage d'une température de 10 °C en hiver à 15 °C en été ne pose-t-il aucun problème. En revanche, le thermomètre ne doit pas monter à 20 °C, puis descendre en dessous de 7 °C. Si cette condition n'est pas satisfaite naturellement, la climatisation s'impose.

2. Un taux d'humidité (hygrométrie) élevé.

Il doit varier entre 70 et 80 %. C'est la condition nécessaire pour que les bouchons ne sèchent pas et adhèrent bien à la paroi de la bouteille. Les sols en terre battue, recouverts de sable ou de gravier que l'on peut arroser, assurent une régulation naturelle de l'humidité. Dans une cave trop sèche, les bouteilles risquent de devenir couleuses (elles fuient) ; dans une cave trop humide, les étiquettes moisissent.

3. De l'obscurité.

Les rayons UV sont néfastes pour le vin. L'éclairage doit être doux et si possible filtrant, seulement allumé en cas de besoin.

4. Une bonne ventilation et de l'aération.

Une cave mal aérée est sujette aux moisissures qui attaquent bouchons et étiquettes.

5. Pas d'odeurs anormales.

Au cours d'une longue conservation, les odeurs peuvent se transmettre au vin. Les odeurs de fuel et de peinture sont redoutables, mais la seule présence de légumes (ail, oignon) peut gâter la meilleure bouteille. Vous pouvez être tenté d'utiliser des insecticides pour lutter contre les acariens qui pourraient attaquer les bouchons. Méfiance ! Ces produits dégagent une odeur tenace.

6. Pas de vibrations.

Elles risquent de troubler le vin en remettant le dépôt en suspension. Beaucoup de caves urbaines sont exposées à ce danger : métro, circulation automobile, appareils ménagers. Surveillez régulièrement vos bouteilles.

7. Un dispositif de sécurité

Il doit dissuader les visiteurs indésirables.

Sept questions à vous poser

1. Quels sont vos besoins et vos objectifs ?

Évaluez le nombre de bouteilles nécessaires à votre consommation annuelle. Si vous désirez conserver des vins de longue garde sur une vingtaine d'années, vous aurez besoin d'une grande cave. Si vous consommez vos vins au fur et à mesure de leur achat, avec une rotation sur deux ans, vous pouvez choisir une armoire climatisée.

2. Votre cave sera-t-elle un simple local relais ?

Si oui, elle peut tenir dans un fond de pièce, sous un escalier, dans un coin de garage. Sinon, il vous faut aménager une vraie cave de vieillissement qui tient compte des sept mots d'ordre.

3. De quel budget disposez-vous ?

Votre budget d'aménagement de la cave doit être adapté à la valeur des bouteilles qui y trouveront refuge. Mais tout est affaire de goût et rien ne vous empêche de construire une cave qui flatte votre passion.

Des bouteilles bien étiquetées seront facilement identifiables sans avoir à les manipuler.

4. Pouvez-vous construire une cave enterrée ?

Si vous souhaitez construire une cave enterrée, vous devez préalablement déterminer si le sol peut être creusé. Tout dépend de sa nature, de la hauteur de la nappe phréatique (attention aux remontées d'eaux), de la facilité d'accès d'un engin mécanique. Si vous faites bâtir votre maison en même temps que votre cave, l'architecte vous aidera à sa conception. Si votre maison est déjà construite, prenez conseil auprès d'un spécialiste pour vous assurer de la solidité de l'édifice. Les caves préfabriquées constituent une solution pratique. Dans tous les cas, choisissez la bonne exposition, le nord étant préférable.

Isolez votre cave : la gamme des matériaux est vaste – polystyrène, carreaux de plâtre, mousse de polyuréthane, briques alvéolées. Une cave enterrée peut se passer de climatisation, mais il faut isoler le plafond. La ventilation peut être assurée par deux ouvertures opposées, une en bas, l'autre en haut. N'oubliez pas de poser un grillage fin pour éviter l'entrée des rongeurs. Enfin, pensez à la régulation de l'hygrométrie : si la nature du sol ne l'assure pas naturellement, il vous faudra investir dans un appareil. Votre terrain ne vous permet pas d'enterrer votre cave ? Tout n'est pas perdu. Vous la bâtirez contre la maison ou dans le jardin en respectant les mêmes règles d'exposition, d'isolation, de ventilation et d'hygrométrie. La climatisation est indispensable, sauf si vous enterrez la cave à moitié dans le jardin et si vous recouvrez l'édifice avec la terre excavée que vous pourrez planter de gazon.

5. Disposez-vous d'une pièce libre ?

La pièce, de préférence située au nord et bien isolée, doit être exclusivement réservée au vin.

6. Possédez-vous un box dans votre immeuble ?

L'aménagement d'un cellier privatif dans une copropriété répond aux mêmes règles que celles d'une cave enterrée. Renforcez sa protection contre le vol.

7. Êtes-vous prêt à sacrifier votre garage ?

Vin ou voiture ? Il faut choisir... Les deux ne peuvent cohabiter au

Armoires à vin et garde-vin : des solutions pour petits espaces

L'armoire à vin climatisée a été une révolution pour les amateurs vivant en appartement. Sa fiabilité est désormais prouvée. Choisissez-la en fonction de vos besoins, de l'espace dont vous disposez, de l'esthétique, de votre budget. De la cave d'appartement classique au meuble fait sur mesure, tout est possible. C'est la meilleure solution pour aménager une cave relais, pour la garde de vins que vous consommerez dans les trois mois.

Outre les armoires destinées à une simple conservation des vins, certaines mettent les bouteilles à la température de service.

Pour conserver les vins de luxe et de longue garde, des sociétés proposent des espaces sécurisés qui répondent aux normes de conservation les plus strictes : ce sont des garde-vin. Comme on dépose ses bijoux dans le coffre d'une banque, on met ses grands vins en pension, contre un loyer.

risque que les vins s'imprègnent d'odeurs d'essence. Une séparation du garage par une cloison ne suffit pas. Si vous acceptez de sacrifier l'abri de votre voiture, vous appliquerez les règles classiques d'une cave aménagée hors sol.

Un peu de méthode

Pour vérifier le taux d'humidité et la température de votre cave, faites l'acquisition d'un hygromètre et d'un thermomètre.

Stockez les bouteilles de vin couchées, hors de leurs cartons qui risquent de pourrir ; seules les eaux-de-vie peuvent demeurer debout. Les grands vins de garde peuvent attendre dans leurs caisses ouvertes, sans leur couvercle, soigneusement empilées et isolées du sol.

Le choix des casiers à bouteilles est immense, depuis les casiers métallique classiques jusqu'aux cellules préfabriquées en matériaux composites, en passant par les étagères en bois. Privilégiez des casiers modulables qui peuvent contenir un nombre variable de bouteilles. Si votre cave est exposée aux vibrations, équipez le dessous de vos casiers d'amortisseurs en caoutchouc.

Les bouteilles ainsi rangées ne sont plus identifiables. Pensez à mettre des étiquettes pendues aux goulots ou collées sur leurs culs. Vous pouvez aussi accrocher de petites ardoises à chaque casier. Prévoyez un panier pour remonter les bouteilles de la cave.

Et si vous disposez de suffisamment de place, pourquoi ne pas aménager un espace qui vous permettra de déboucher et de décanter vos bouteilles dans la cave, sur une petite table ou un tonneau.

Assurez-vous

Si vous possédez de grands vins, il peut être judicieux d'assurer vos bouteilles. Vérifiez bien le contrat d'assurance de votre domicile et, au besoin, faites-y inclure le risque pour votre cave exposée aux inondations, incendie ou vol. Votre assureur vous demandera de protéger votre local ainsi qu'il l'exigerait pour une voiture.

Une expertise des grands vins de votre cave est indispensable pour établir la valeur de remplacement. Gardez les factures d'achat et tenez minutieusement un livre de cave sur lequel vous noterez les entrées et sorties de bouteilles : ces documents vous serviront de preuves. Contrairement à d'autres biens qui se déprécient avec le temps, les grands vins prennent de la valeur : il est donc nécessaire de réactualiser l'expertise.

Les bouteilles doivent être soigneusement rangées, en position couchées, ici dans des casiers métalliques.

[66] Comment constituer une cave ?

La composition de votre cave dépend de votre capacité de stockage, de vos moyens financiers, de votre consommation personnelle et de vos invitations. Avant tout, elle reflète vos goûts et votre passion ; elle doit être suffisamment variée afin de ne pas vous lasser d'un vin, fût-il le meilleur. Autre raison d'être : satisfaire aux accords gourmands les plus divers.

Sachez diversifier votre cave en profitant de vos voyages ou des offres commerciales.

Sortez des sentiers battus

S'il est souhaitable de disposer de bouteilles classiques pour les accords avec les mets, ne négligez pas les vins moins connus que vous découvrirez pendant vos vacances dans le vignoble, à l'occasion des foires aux vins ou de vos visites chez le caviste. Après vous être inspiré des propositions de caves des auteurs spécialisés, évadez-vous des schémas habituels...

Gérez

Établissez un budget tout en gardant une marge de manœuvre pour profiter des occasions et vous autoriser quelques achats impromptus. Votre consommation annuelle reste à peu près constante, pensez donc à renouveler les bouteilles dans chaque catégorie. Tenez compte de la qualité du nouveau millésime et n'hésitez pas à sauter un millésime s'il est trop moyen ou bien à acheter davantage de bouteilles d'un grand millésime. La gestion n'est pas faite que d'achats : il faut savoir revendre les vins surnuméraires comme ceux dont l'évolution vous semble incertaine.

Tenez un livre de cave

Joli livre illustré, simple cahier ou fichier informatique, le livre de cave est indispensable pour bien gérer votre cave. Notez les entrées et les sorties, les commentaires de dégustation, les alliances avec les mets que vous aurez pu tester. N'oubliez pas d'inscrire les coordonnées de vos fournisseurs, utiles lorsque vous souhaiterez recommander des bouteilles.

Variations sur le même thème

Nous proposons... vous disposez.

À vous d'adapter le nombre de bouteilles selon vos besoins et le style de vins selon vos goûts,
de mélanger cave classique et cave originale, et de sortir de l'Hexagone
pour découvrir la planète vin.

Une cave classique

Alsace

6 alsace-riesling, 6 alsace-pinot gris, 3 alsace
sélection de grains nobles

Bordelais

6 crus classés du Médoc, 6 cru bourgeois du Médoc,
4 saint-émilion grand cru classé, 2 saint-émilion grand
cru, 6 pomerol, 6 sauternes ou barsac

Bourgogne et Beaujolais

6 vins rouges premiers crus de la Côte de Nuits, 6 vins
blancs de la Côte de Beaune, 12 chablis premier cru et
grand cru, 6 beaujolais-villages, 6 crus du Beaujolais

Champagne

24 champagnes

Languedoc-Roussillon

6 languedoc rouges, 3 faugères,
3 saint-chinian, 6 côtes-du-roussillon-villages rouges,
6 côtes-du-roussillon blancs

Loire

6 chinon, 3 bourgueil, 3 saint-nicolas-de-bourgueil,
6 sancerre, 12 muscadet-sèvre-et-maine, 6 saumur-
champigny, 6 coteaux-du-layon ou bonnezeaux

Rhône

12 côtes-du-rhône ou côtes-du-rhône-villages, 6 côte-
rôtie, 6 hermitage, 6 condrieu, 6 châteauneuf-du-pape

Provence-Corse

6 rosés de Provence, 3 bandol, 3 cassis blanc, 3 ajaccio,
3 patrimonio

Sud-Ouest

3 côtes-de-bergerac, 3 pécharmant, 6 cahors, 6 madiran,
6 jurançon, 6 gaillac rouge

Vins doux naturels

6 muscats-de-saint-jean-de-minervois, 6 maury,
6 banyuls

Une cave originale, de bon rapport qualité-prix

Choisissez dans chaque appellation un vigneron vedette, en vous référant aux guides ou à la presse spécialisée.

Alsace

6 alsace grand cru gewurztraminer vendanges tardives

Bordelais

6 fronsac, 6 premières-côtes-de-bordeaux blancs secs,
12 bordeaux clairets, 6 graves rouges, 6 médocs,
6 bordeaux supérieurs, 3 barsac

Bourgogne et Beaujolais

6 saint-aubin, 6 marsannay, 6 chassagne-montrachet,

6 chambolle-musigny, 6 pouilly-fuissé, 6 crémants-de-
bourgogne, 6 morgon (cru du Beaujolais)

Champagne

10 champagnes de vigneron

Languedoc-Roussillon

6 faugères rouges, 6 fitou ou minervois rouges, 6 limoux
de chardonnay, 12 vins de pays d'Oc rouges

Loire

6 bourgueil, 6 quarts-de-chaume

Provence

6 baux-de-provence rouges, 6 coteaux-d'aix-en-provence blancs, 6 bandol rouges, 6 bellet blancs

Rhône

6 saint-joseph rouges, 6 saint-péray, 6 crozes-hermitage rouges, 12 côtes-du-rhône-villages Cairanne rouge, 6 lirac blancs

Savoie

12 vin-de-savoie Chignin-bergeron

Sud-Ouest

6 fronton rosés, 6 irouléguy, 12 madiran 12 pécharmant, 12 saint-mont rouges

Vins doux naturels

6 rivesaltes, 6 muscats-de-beaumes-de-venise, 6 muscats-du-cap-corse

Hors de l'Hexagone

Cette sélection de vins du monde entier peut compléter votre cave de base.

Afrique du Sud

merlot, Klein Constantia

Allemagne

riesling *Spätlese* de Moselle ; riesling *Beerenauslese* du Rheingau

Argentine

malbec

Australie

shiraz

Canada

vin de glace (*icewine*)de l'Ontario

Chili

cabernet-sauvignon

Espagne

rioja reserva ; ribera del duero crianza ; somontano rouge ; priorat ; rias baixas, albariño ou godello ; toro ; xérès *amontillado*

États-Unis

chardonnay, cabernet-sauvignon et zinfandel de Californie ; pinot noir de l'Oregon

Hongrie

Tokay aszú

Italie

barolo ; brunello di Montalcino ; amarone della Valpollicella ; super toscan ; malvasia delle Lipari

Liban

vins de la vallée de la Bekaa

Maroc

gris de Boulaouane

Nouvelle-Zélande

sauvignon

Portugal

porto vintage ; porto LBV, dão rouge, moscatel de Setúbal

Suisse

fendant du Valais

Uruguay

tannat

[67] Comment et où acheter ?

Du choix, certes, vous n'en manquerez pas en parcourant les rayonnages des grandes surfaces ou des cavistes. Mais, que vous soyez grand débutant ou déjà initié, un conseil avisé est toujours le bienvenu : vous le rechercherez auprès des professionnels. En quête de bonnes affaires, de la bouteille insolite ou du coup de cœur, gardez toujours votre sens critique.

Chez le vigneron

Le mode d'achat le plus convivial : le contact avec le producteur, la visite de ses vignes et de sa cave sont irremplaçables. Privilégiez le tourisme viticole pendant vos loisirs. C'est à cette occasion que vous ferez progresser votre connaissance du vin, que vous apprendrez les secrets et les particularités d'une région, que vous comprendrez le lien qui unit l'homme à son vin. Lors de la dégustation, ne grignotez ni les noix, ni les morceaux de fromage qui vous sont proposés car ces aliments modifient le goût du vin. Et n'oubliez pas de recracher afin d'être en conditions de reprendre le volant.

Si vous achetez à distance, pensez à intégrer le coût du transport ou, mieux, groupez vos achats avec des amis de façon à partager ces frais.

En grande surface

La grande distribution réalise aujourd'hui plus de 70 % des ventes de vin. Si l'on a regretté pendant longtemps les conditions de stockage approximatives de ces bouteilles, les circuits ont désormais fait de gros efforts pour garder et présenter convenablement les vins. Certains se sont attachés les services d'un spécialiste pour conseiller les clients parfois désemparés par le large éventail d'étiquettes alignées sur les rayons. C'est d'ailleurs ce choix, ainsi que les prix bas pratiqués qui attirent les consommateurs : de plus en plus de grands vins sont présents au milieu d'une sélection qui s'ouvre aujourd'hui aux vins étrangers. Bien entendu, les vins diffusés de manière confidentielle ont peu de chance d'être représentés en grande surface ; certains producteurs prestigieux refusent même d'y voir leur production. Notez qu'il est préférable que les bouteilles soient à l'abri de la lumière et couchées dans les rayons.

Les vins sont classés le plus souvent par région : une agréable façon de réviser votre géographie.

Chez le caviste

Le caviste est l'interlocuteur de proximité. Les vins qu'il a sélectionnés reflètent souvent ses goûts et ceux de sa clientèle : chaque caviste a donc son style. Certains sont indépendants, d'autres gèrent une succursale de grande chaîne. Le caviste saura vous conseiller sur l'évolution probable des vins, les accords avec les mets ; parfois il vous parlera même des vignerons. Il peut devenir votre meilleur cicérone dans l'univers quelque peu hermétique du vin. Les cavistes sont plus nombreux dans les grandes agglomérations que dans les petites, mais dans les régions viticoles les boutiques de cavistes spécialisés se multiplient.

Dans les bars à vins

Si le choix de bouteilles est en général plus restreint que chez un caviste, la possibilité de goûter plusieurs vins au verre est un atout. Beaucoup de bars à vins proposent la vente à emporter.

Les cavistes proposent un large choix de vins et se révèlent être d'excellents conseillers, pour les accords gourmands notamment.

Dans les foires aux vins et les salons

Le mois de septembre est l'occasion pour les grandes surfaces d'organiser des foires aux vins, opérations de promotion annoncées à grand renfort de catalogues. Les meilleures affaires côtoient les moins bonnes ; la plus grande vigilance s'impose surtout si vous souhaitez acheter les bouteilles de prestige, proposées en petites quantités. À cette période apparaissent des crus qui ne sont d'ordinaires pas présents en rayon : c'est le moment d'en profiter. L'idéal est d'acheter quelques bouteilles, de les déguster chez vous et de retourner dans la semaine acquérir plusieurs caisses de vos vins préférés. Vous pouvez aussi vous fier aux indications des guides et de la presse spécialisée qui réalise des dossiers complets à cette époque de l'année.

Les foires classiques, les salons du vin, les fêtes bachiques sont autant d'occasion de déguster et d'acheter. Méfiez-vous de l'ambiance commerciale qui y règne. Néanmoins, la rencontre avec le producteur n'est pas le moindre des attraits de ces manifestations. Un conseil : goûtez les vins par couleur – blancs, rosés, rouges et liquoreux – pour ne pas soumettre votre palais à des dégustations yo-yo qui anesthésient les papilles. Et n'oubliez pas de cracher...

Par correspondance ou sur le Net

Il n'y a que le support de communication qui change : papier ou Internet. Lisez attentivement le catalogue et comparez les prix par quantité, ainsi que les frais de livraison par rapport aux autres circuits de distribution. Ces réseaux proposent souvent de réelles affaires au moment des ventes en primeur : vous pouvez y réserver des bouteilles introuvables ailleurs.

☞ *Peut-on spéculer sur le vin ?*
  p. 147

Les clubs de dégustation

Outre leur rôle pédagogique, les clubs offrent l'avantage non négligeable des achats groupés. Les vins sélectionnés ont été dégustés au préalable, commentés et analysés par le groupe ; vous pourrez confronter votre opinion à celle des autres membres. Lors de certaines séances, les producteurs viennent présenter leurs vins et échanger leur savoir avec les membres du club.

☞ *Comment s'exercer*
  à la dégustation ?
  p. 158

Transporter le vin

On dit souvent que les vins régionaux appréciés pendant les vacances ne résistent pas au voyage du retour. Le vin est-il en cause ? Ou bien l'atmosphère locale ferait-elle défaut ? Le vin que vous achetez en grande surface ou chez votre caviste a lui aussi voyagé. Ce sont les conditions de transport qui importent : écarts de température, exposition à la lumière, stockage chez le transporteur. Si vous transportez vous-même vos achats, pensez qu'un coffre de voiture peut se transformer en fournaise. Évitez donc les voyages en pleine chaleur. Votre vin aura besoin d'un temps de repos dans une bonne cave après son transport pour retrouver ses qualités initiales.

En vrac

Que ce soit chez le caviste ou directement chez le producteur, la vente du vin en cubitainer ou à la tireuse perdure. Il s'agit en général de vins de consommation rapide, plutôt modestes, qu'il convient de ne pas laisser dans leur emballage d'origine pendant très longtemps. Le grand avantage du vrac est de permettre de déguster les vins avant achat. Le conditionnement en fontaines à vin, en *bag in box* (« bib ») est un gros progrès : le vin reste à l'abri de l'air pendant tout le temps de sa consommation, mais il vaut mieux ne pas dépasser la semaine. En

revanche, si vous désirez sacrifier à la cérémonie conviviale de la mise en bouteilles de votre dernier achat en fût avec des amis, veillez à l'hygiène des bouteilles, au choix de bouchons de qualité et d'un matériel adéquat.

Commander au restaurant

Un tiers des bouteilles vendues en France le sont dans les restaurants ou les cafés, malgré les coefficients multiplicateurs élevés que les restaurateurs appliquent. Le prix du vin commandé ne devrait pas dépasser le prix du repas, sauf exception. Dans les grands restaurants, une carte des vins claire et précise vous aide à faire votre choix ; un sommelier vous conseille sur les accords avec les mets choisis ou sur la production locale à découvrir. Puis il vous fait goûter le vin avant de le servir : redoutable responsabilité que de décider dans l'instant s'il présente un faux goût ou non... Au contraire, dans les restaurants de moyenne gamme, la carte est souvent imprécise ; n'hésitez pas alors à interroger le serveur sur l'appellation, le nom du vin et le millésime avant de commander. Certains établissements proposent des vins servis et tarifés au verre : une bonne solution pour découvrir de nouveaux crus. Mais attention, qui sait depuis quand la bouteille a été ouverte et comment le vin a été conservé ?

☞ *Qu'est-ce que le goût*
  de bouchon ?
  p. 153

[68] Peut-on spéculer sur le vin ?

Le vin est un investissement non seulement financier mais aussi hédoniste. Il constitue bien le seul placement dont vous puissiez goûter les dividendes... Car n'oubliez jamais que le vin est fait pour être bu.

L'achat en primeur : pariez sur l'avenir

L'achat en primeur consiste à acquérir un vin alors qu'il est encore en élevage au château, c'est-à-dire sans l'avoir goûté vous même. Le vin ne vous sera livré qu'un ou deux ans après. Rien à voir donc avec le vin primeur, ou vin nouveau, du type beaujolais (*cf.* p. 98).

Réservée aux grands crus du Bordelais et à quelques vins de prestige, cette pratique permet d'acquérir les vins à leur « prix de sortie », parfois inférieur de 25 % à celui du marché Toutefois le volume de vins ainsi mis en vente et contingenté et les souscriptions ne sont possibles que pendant une courte période. L'achat en primeur est accessible aux particuliers par l'intermédiaire de sociétés spécialisées, de cavistes ou de la vente par correspondance. Un certificat de propriété est délivré à l'acheteur qui peut le revendre. Le risque de l'opération est de nature boursière. Méfiez-vous des cours élevés d'un millésime moyen, souvent encouragés par une demande étrangère. L'exemple du 1997, payé très cher et dont la cote est retombée, incite à la prudence.

Comment boire gratis ?

En jouant sur le caractère spéculatif de certains crus, comme les premiers crus du Médoc. Achetez deux caisses en primeur dans un grand millésime. Après une dizaine d'années de garde, mettez une caisse aux enchères. En général, le prix obtenu vous permettra de boire la seconde gratuitement.

Les ventes aux enchères : suivez les cours

Les ventes aux enchères concernent des vins de tous âges, issus de caves de restaurateurs ou bien cédés à l'occasion de successions, de déménagements. Consultez le catalogue, la cote des vins et informez-vous des frais qui s'ajoutent au montant de l'enchère (environ 8,54 % de frais pour l'acheteur). L'expert attaché à la vente a rarement goûté le vin, mais il indique la provenance et l'historique de la bouteille, son état de conservation (le niveau du vin dans la bouteille ne doit pas descendre à l'épaule), vérifie l'authenticité du cru. Attention toutefois aux fausses bouteilles qui fleurissent sur le marché.

Certains facteurs font augmenter les prix : rareté du cru, prestige, état de l'étiquette, quantité proposée (caisse entière ou flacons épars). Quelques crus particulièrement recherchés constituent des placements spéculatifs comme Petrus et Château d'Yquem en Bordelais, La Romanée-Conti en Bourgogne. Les records ne manquent pas : un Lafite 1811 a été vendu 20 600 euros ; un musée américain a déboursé plus de 150 000 euros pour une bouteille d'Yquem qui aurait appartenu à Thomas Jefferson.

Comment s'établit la cote des bouteilles ? Les experts collationnent les prix atteints dans les ventes aux enchères (hors ventes caritatives qui peuvent fausser les prix) ou sur le marché, puis calculent une moyenne pour chaque cru dans chaque millésime. Bien qu'elles fluctuent au gré du marché et de l'évolution qualitative des propriétés, ces cotes constituent un bonne base d'appréciation.

La vente, orchestrée par un commissaire-priseur, se déroule comme n'importe quelle vente aux enchères.

[69] Comment servir le vin ?

Vous allez ouvrir une bouteille et la présenter à vos amis. Devenu metteur en scène, il vous faut trouver le bon scénario : la juste température de service, ainsi que les verres les mieux adaptés pour mettre le vin en valeur.

De la cave à la table

Voilà, votre choix est fait. Il vous suffit maintenant de porter la bouteille à table. Quelques précautions s'imposent. Placez les vins jeunes debout, sur une desserte ou dans un endroit frais, quelques heures avant le service. Les bouteilles de vins vieux, surtout ceux qui présentent un dépôt, doivent être remontées couchées dans la position qu'elles occupaient dans le casier. Utilisez pour cela un panier, puis débouchez-les sans les relever. Si vous avez prévu votre repas de longue date, vous pouvez remonter ces vieilles bouteilles quelques jours auparavant et les garder debout : le dépôt aura le temps de se poser au fond de la bouteille.

Débouchez : au bon amateur les bons outils

Jeunes ou vieux, les vins gagnent à être ouverts une heure avant le service pour éviter les arômes de réduction. L'oxygénation, très faible, se limite à la partie du vin en contact avec l'air, au sommet du goulot. Après avoir coupé la capsule sous la bague ou au-dessus,

Tire-bouchon à levier.

essuyez le goulot de la bouteille, puis munissez-vous de votre tire-bouchon.
Les modèles de tire-bouchons sont nombreux, depuis le simple tire-bouchon à vis jusqu'aux modèles sophistiqués du genre Screw-Pull©. Choisissez un tire-bouchon à vis longue et assez large, si possible siliconée. Les tire-bouchons à levier sont commodes et économisent les efforts ; le classique sommelier est

Températures de service idéales

Bordeaux rouges	17-18 °C
Bourgognes rouges	15-16 °C
Vins rouges tanniques (vallée du Rhône Nord, Sud-Ouest, Provence, Languedoc)	16-18 °C
Vins rouges légers (vallée de la Loire, Savoie)	14-16 °C
Vins rouges primeurs et rosés	10-12 °C
Vins blancs secs de garde (graves, chablis grand cru, montrachet)	12-14 °C
Vins blancs secs légers (entre-deux-mers, muscadet)	10-12 °C
Vins effervescents	8-10 °C
Vins liquoreux	8-10 °C
Vins doux naturels blancs (muscats, rivesaltes)	8-10 °C
Vins doux naturels rouges (banyuls, maury)	14-15 °C

Contrôlez la température

Pour trouver la bonne température, rien ne remplace l'expérience. Cependant, il est aisé d'éviter les écueils classiques : vins blancs trop froids et vins rouges trop chauds. Parce que le vin se réchauffe très vite dès qu'il est servi dans les verres, présentez-le sur la table à une température inférieure de 2 °C au degré souhaitable. Vous pouvez placer la bouteille dans un seau empli d'eau et de quelques glaçons et la servir ainsi pendant tout le repas. Contrôlez la température avec un thermomètre à vin plongé dans le goulot. Il existe aussi des armoires spécialement étudiées pour porter les vins à la bonne température. Et le congélateur ? Oubliez cette mauvaise solution !

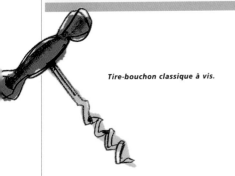

Tire-bouchon classique à vis.

L'ouverture d'une bouteille de champagne demande un certain doigté. Ôtez muselet et capsule, puis tenez fermement le bouchon d'une main et faites tourner de l'autre la bouteille inclinée en la tenant par le cul. Retenez le bouchon pour que le gaz s'échappe doucement, sans explosion.

encore le plus pratique, surtout les nouveaux modèles à deux crans de levier. Les tire-bouchons à vis sans fin, très faciles à utiliser, présentent l'inconvénient de percer le bouchon. Quant aux tire-bouchons bilames, ils demandent un bon tour de main mais sont irremplaçables pour déboucher les bouteilles de vins âgés. En revanche, bannissez les tire-bouchons à gaz comprimé qui perturbent le vin. Lorsque vous avez extrait le bouchon, essuyez à nouveau le goulot, puis humez la partie qui est restée en contact avec le vin (appelée miroir) : elle ne doit pas sentir le liège.

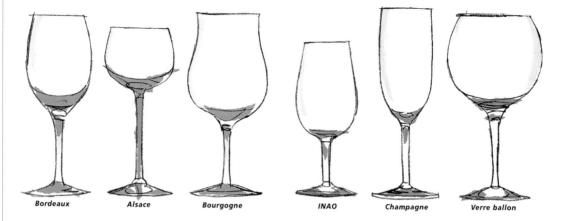

Bordeaux   Alsace   Bourgogne   INAO   Champagne   Verre ballon

Esthétiques ou fonctionnels : les verres

Le verre doit mettre le vin en valeur (couleur et arômes) et se prêter à une dégustation aisée. Ce n'est pas toujours le cas : les verres colorés (même lorsque seul le pied l'est) modifient la robe du vin ; les verres trop ouverts laissent s'échapper les arômes ; les verres trop tulipés (en particulier le verre dit INAO – de l'Institut national des appellations d'origine – utilisé par les professionnels) ne sont pas commodes à table. Sachez distinguer les verres à dégustation des verres pour la table. Servez les vins effervescents dans des flûtes plutôt que dans des coupes afin de favoriser la montée des bulles, les vins rouges dans de grands verres arrondis, les vins blancs dans des verres de taille moyenne, l'eau dans le verre le plus grand. Un verre d'une contenance de 28 cl est bien suffisant, sachant que vous ne le remplirez qu'à moitié lors du service. Lavez les verres dans une eau très légèrement savonneuse, puis rincez-les bien. N'utilisez pas de torchon pour les sécher, mais placez-les à l'air libre, suspendus la tête en bas.

Bouteilles entamées : buvez-les !

À condition de la préserver de l'oxygène et de la maintenir au froid, vous pouvez conserver une bouteille entamée quelques jours. Il existe des systèmes qui mettent la bouteille presque sous vide, très utilisés dans les bars à vin. Parfois, votre vin vous réservera quelques bonnes surprises un ou deux jours après son

Les bouteilles de vins vieux seront servies couchées dans un panier.

ouverture, en s'épanouissant davantage : peut-être n'était-il pas à son apogée lors de son ouverture et la bouteille a-t-elle été servie trop tôt ? Quant au champagne, mieux vaut finir la bouteille : la solution de la petite cuillère introduite dans le goulot est plutôt folklorique...
Seul un bouchon spécial peut conserver la bouteille quelques heures.
Les vins doux naturels, les vins de voile, les xérès et portos peuvent se garder plus longtemps une fois ouverts ; ils évoluent alors dans le style oxydatif.

[70] Pourquoi décanter ?

Une carafe posée sur la table, chatoyant des reflets du vin, fait toujours bel effet. Mais est-ce là sa fonction première ? Décanter un vin, c'est le transvaser de sa bouteille dans une carafe pour lui apporter un peu d'air et favoriser son expression. C'est aussi séparer le vin clair d'un éventuel dépôt.

Les vins rouges jeunes

Oxygéner un vin rouge jeune, l'aérer, lui permet de perdre un peu de gaz carbonique, dont il est généralement riche, et d'exprimer ses arômes les plus volatils. Souvent, un vin jeune présente un état de réduction ou de fermeture qui masque son fruité : l'air « stimule » les molécules aromatiques. Toutefois, les vins très aromatiques ne tirent aucun bénéfice d'une aération et peuvent même en pâtir, en perdant leur complexité. L'oxygène agit aussi sur les tanins qui gagnent en fondu, deviennent moins agressifs. Aussi faut-il décanter les vins rouges jeunes deux heures avant de les servir.

Les vins rouges âgés

Dans le cas de vins âgés, il s'agit de séparer leur dépôt afin de les servir clairs. Mais attention : une oxydation trop brutale peut leur être fatale. Il faut donc raisonner au cas par cas et bien connaître la réaction de ses vins. Le panier-verseur peut être une solution judicieuse pour servir les vieux vins qui ne supporteraient pas d'être décantés. Décantez les vins vieux une heure avant le repas, voire quelques minutes seulement si le vin est fragile.

Les vins blancs de garde

Il n'est pas recommandé de décanter les vins blancs jeunes qui y perdraient beaucoup. En revanche, les vins de garde, vinifiés en barrique, gagnent en harmonie et en expression lorsqu'ils sont décantés. Tentez l'expérience sur un graves, un grand chardonnay de Bourgogne et même un chenin de Loire.

Les vins blancs liquoreux

Les vins liquoreux ne peuvent que tirer bénéfice d'une longue aération dans un endroit frais. Ils perdent notamment un peu de soufre susceptible de provoquer des migraines.

Les vins effervescents

Leur décantation est discutable. Si les arômes fruités s'en trouvent soulignés, l'effervescence en est quelque peu amoindrie. Privilégiez le service en bouteille pour les grandes cuvées et la carafe pour les vins moins prestigieux.

Les bons gestes

La décantation demande soin et patience. Observez le vin (les dégustateurs emploient le terme « mirer ») en passant la bouteille devant une source de lumière (la traditionnelle bougie par exemple). Relevez doucement la bouteille et versez le vin dans la carafe. Arrêtez de verser dès que vous voyez apparaître le dépôt près du goulot.

Prendre la bonne décision

Un petit truc pour savoir si la décantation est bénéfique : ouvrez la bouteille à l'avance et servez quelques gouttes dans un grand verre ballon. Sentez le vin, puis revenez-y une heure plus tard. Si le vin a changé en mieux, vous pouvez décanter. Sinon abstenez-vous. N'oubliez jamais de consigner vos expériences dans le livre de cave.

Les carafes

Il existe de nombreuse carafes, en verre ou en cristal, de forme plus ou moins ouverte pour oxygéner le vin, avec ou sans anse. Une carafe à fond large (la « capitaine ») favorise l'expression des arômes des vins rouges jeunes ; leur long col évite que ceux-ci ne s'évanouissent trop vite. La carafe canard, horizontale, convient à de nombreux vins, les plus tanniques notamment. Après avoir nettoyé les carafes à l'eau chaude, ne les essayez pas mais laissez-les sécher à l'envers, à l'air libre.

[71] Qu'est-ce que le goût de bouchon ?

À quoi ressemble le goût de bouchon ? Au moisi. Ce défaut aromatique qu'un bouchon défectueux laisse au vin constitue le cauchemar de l'amateur devant ses convives. Il n'est pourtant pas si fréquent : une bouteille sur quinze parmi les vins courants, une sur quarante parmi les grands vins dont les bouchons ont été sélectionnés plus attentivement.

Ça sent le moisi

Le bouchon lègue plusieurs sortes d'odeurs. Celle, naturelle, du liège peut être communiquée au vin par des poussières de bouchon ou lorsqu'à l'ouverture celui-ci est transpercé. Le liège capte aussi les odeurs, bonnes ou mauvaises, de la pièce où sont conservées les bouteilles, puis les transmet au vin. Ce que le consommateur appelle goût de bouchon est une odeur de moisi, de terre, de mousse ou de feuilles en décomposition.

☞ *Qu'est-ce qu'une bonne cave ?*
p. 137

Le TCA attaque

D'où vient le goût de bouchon ? De micro-organismes qui produisent une molécule malodorante – le tri-chloro-anisole (TCA) – lorsqu'ils s'attaquent à des composés chlorés. Et d'où viennent ces composés chlorés ? De certains produits utilisés pour laver les bouchons lors de leur processus de fabrication, certes, mais aussi des produits de traitement des bois de charpentes ou de palettes de stockage. Des recherches récentes permettent d'envisager des lièges exempts de défauts dans un avenir proche grâce à un traitement au gaz carbonique à l'état critique. Premier symptôme identifié, le fruit du vin est masqué derrière des odeurs de champignon et de moisissure, parfois de terre humide, d'humus, de mousse. Le diagnostic est confirmé par la dégustation en bouche : les mêmes arômes se manifestent et une impression de sécheresse domine. En général, l'aération du vin n'arrange pas les choses ; ce défaut peut même empirer. Certains producteurs ne rechignent pas à remplacer les bouteilles défectueuses si vous les avez achetés directement ; il suffit de leur exposer votre déconvenue par courrier.

☞ *Quel est le rôle du bouchon*
de liège ? p. 96

De faux goûts de bouchon

Certains arômes s'apparentent au goût de bouchon, sans l'être. Ils sont dus à l'usage de vieilles futailles, à un mauvais lavage des bouteilles, au papier utilisé pour filtrer le vin, à une vendange atteinte par la pourriture ou encore à l'hygiène de cave qui laisse à désirer.

Le bouchon de liège reste le meilleur ami du vin, même si un accident est toujours possible.

[72] Comment déguster ?

La dégustation se fait par étape, en mettant tous ses sens en éveil : la vue pour apprécier la couleur du vin, l'olfaction pour en percevoir les arômes, le goût pour en identifier les saveurs. L'ouïe et le toucher ne sont pas en reste. L'amateur n'écoute-t-il pas le chuchotement des bulles d'un vin effervescent ? Son palais reste-il insensible à la caresse d'un vin de velours ?

L'œil : les premiers indices

La simple observation visuelle d'un verre de vin est riche d'enseignements. Elle vous permet d'apprécier la densité de la couleur et donc la concentration du vin. La teinte reflète souvent l'âge du vin : avec le temps, la composante bleue laisse place à des nuances orange.

☞ *Comment évolue le vin ?*
    p. 132

La brillance et la transparence témoignent du soin apporté à la finition du vin, à sa filtration avant la mise en bouteilles. En tournant légèrement le verre, vous appréciez également la viscosité et donc le gras du vin. Sachez distinguer la teinte du vin de celle de son disque, c'est-à-dire de la partie du liquide proche des parois du verre qui brille de reflets. Ainsi un vin blanc peut-il dévoiler une teinte paille à reflets verts, un vin rouge une teinte rubis à reflet violets. Les dégustateurs professionnels emploient le terme imagé de robe pour désigner la couleur du vin.

Le nez : l'univers des arômes

Le nez du vin ? Ce sont les arômes perçus en deux temps par le dégustateur : à la première olfaction, verre immobile empli au tiers, celui-ci décèle le premier nez, les arômes les plus volatils en approchant progressivement le verre du nez ; puis le dégustateur agite légèrement le verre pour découvrir le second nez, d'autres notes aromatiques plus subtiles et complexes, révélées par l'aération du vin.

Mettez-vous en condition

Même si vous ne souhaitez pas vous lancer dans une dégustation professionnelle, quelques règles s'imposent pour bien goûter le vin. Bien sûr, ne décidez pas de déguster un vin après un repas : vos papilles sont déjà saturées... Quant à la cigarette, elles est bannie. Les meilleurs moments de la journée se situent entre 10 et 12 heures, puis entre 18 et 20 heures. Contentez-vous de morceaux de pain en guise de grignotage (le fromage masque les défauts du vin) et prévoyez un peu d'eau. Tenue de dégustation ? Eau de toilette pour homme ou femme et rouge à lèvre ne sont pas des atouts pour aborder le vin... Enfin, soyez en forme : un dégustateur fatigué, enrhumé ne dispose pas de toutes ses compétences.

Il ne s'agit pas de goûter un trop grand nombre d'échantillons. Comparer deux vins suffit amplement pour débuter. Pensez à mettre sur la table un récipient qui vous servira de crachoir (n'avalez pas systématiquement au risque de perdre votre jugement !). Choisissez un verre de type INAO (*cf.* p. 150) que vous tiendrez par le socle de façon à ce que le vin ne se réchauffe pas au contact de la main.

Les arômes ont fait l'objet d'études scientifiques très pointues pour définir les molécules responsables de leur formation. Mais les dégustateurs les ont classés de manière plus accessible, selon leurs évocations du monde naturel, par famille analogique. Ainsi les **arômes végétaux** rappellent-ils le végétal vert comme l'herbe, le buis, le lierre, la fougère ou le poivron, le végétal sec comme le thé, le tabac frais, la tisane, la feuille morte et le sous-bois, le végétal aromatique comme le thym, la menthe ou l'anis, le champignon comme la truffe.

Dans la famille des **arômes floraux**, les dégustateurs distinguent les fleurs fraîches (rose, muguet, acacia, violette, iris, bruyère, genêt) des mêmes fleurs séchées. Dans celle des **arômes fruités**, ils s'attachent à identifier les fruits frais et les fruits cuits, les fruits rouges (cerise, fraise, framboise, groseille), les fruits noirs (cassis, myrtille), les fruits blancs (pêche, pomme, poire), les fruits jaunes (abricot) et les fruits à noyau (prune, pruneau), sans oublier les agrumes (pamplemousse, citron, orange), les fruits exotiques (litchi, mangue, ananas), ainsi que les fruits secs (noisette, amande et noix).

Certains vins blancs présentent des **arômes minéraux** de type pierre à fusil, naphte, mine de crayon ou craie. D'autres développent des **arômes épicés** comme la vanille, la cannelle, le poivre, le clou de girofle. D'autres encore, particulièrement doux, jouent sur des **arômes de confiserie** évocateurs de miel, de pâte d'amandes, de cire d'abeille, de praline.

L'élevage en fût lègue souvent au vin des **arômes boisés** (chêne, cèdre, pin, résine, eucalyptus) et des **arômes empyreumatiques**, **grillés**, **de torréfaction** (fumée, tabac brûlé, café, chocolat, pain grillé). Si les vins jeunes libèrent souvent des **arômes fermentaires** tels que la levure, la mie de pain, la brioche, le beurre et le bonbon anglais, les vieux vins rouges parvenus à leur apogée ont pour apanage des **arômes animaux** de jus de viande, de cuir, de gibier, de ventre de lièvre.

Les **arômes chimiques** (soufre, iode, œuf pourri, colle) constituent en revanche des défauts.

☛ *Quelles sont les maladies du vin ? p. 106*

La bouche : saveurs, arômes et toucher du vin

Les quatre saveurs élémentaires traditionnellement reconnues dans les aliments sont le sucré, l'acide, le salé et l'amer. Elles se déclinent toutes dans le vin (bien que le salé n'apparaisse que dans quelques rares vins, comme les xérès *fino* et *manzanilla*). Il s'agit pour le dégustateur d'évaluer leur intensité, ainsi que la façon dont elles s'harmonisent. Chacun d'entre nous est plus ou moins sensible aux saveurs, selon notre seuil de perception. La bouche du vin n'est pas uniquement formée de saveurs, mais aussi d'arômes perçus par voie rétronasale (par un circuit qui relie le palais aux fosses nasales). La matière du vin et ses tanins procurent en outre une sensation tactile, tantôt semblable à celle laissée par une étoffe de soie ou de velours, tantôt rugueuse, granuleuse. À chaque vin né d'un terroir spécifique correspond un équilibre et un caractère aromatique types.

La dégustation en bouche se déroule en trois étapes. La première impression ressentie au moment de mettre le vin en bouche est appelée **attaque** : elle peut être franche lorsque le vin s'exprime dès le début de la dégustation, faible ou même fuyante dans le cas contraire. Ce sont les sensations moelleuses, ou sucrées, ainsi que l'acidité qui s'expriment dès l'attaque.

Le cœur de la dégustation, c'est le **milieu de bouche**. Le vin révèle alors véritablement son équilibre, il dévoile son « corps » qui peut être léger, svelte, structuré, charpenté, enveloppé d'une chair pleine, de gras.

Enfin vient le temps de conclure : **la finale**. Après avoir avalé ou recraché le vin, le dégustateur perçoit encore les tanins, plus ou moins amers ou astringents, et surtout les arômes dont il étudie la persistance. Cette longueur aromatique s'évalue en caudalies (du latin *cauda*, « queue »). Une caudalie vaut une seconde. Les grands vins persistent en finale pendant plus de dix caudalies ; ils font la queue de paon, selon l'expression consacrée. Un bon vin procure des sensations intenses à tous les stades de la dégustation en bouche : en attaque, en milieu de bouche et en finale.

☛ *Comment élaborer un vin blanc sec ? p. 76*
L'équilibre d'un vin blanc sec p. 77

☛ *Comment élaborer un vin rouge ? p. 70*
L'équilibre d'un vin rouge p. 73

[73] Comment s'exercer à la dégustation ?

Lecture du commentaire de dégustation d'un spécialiste : « La robe est rubis franc »... Jusque-là vous êtes d'accord. « D'attaque franche, la bouche ronde s'appuie sur des tanins au grain fin pour se prolonger sur des arômes persistants de cannelle et de fruits mûrs. »... Cela se complique ! Autant dire que vous n'y êtes plus... La dégustation est un exercice qui demande de l'entraînement. Rien d'insurmontable cependant et surtout rien d'ennuyeux si vous vous exercez avec des amis.

Connais-toi toi-même

Évaluez vos atouts et vos faiblesses dans la perception des saveurs élémentaires. Dans des solutions d'eau pure, ajoutez du sucre, de l'acide tartrique, de l'alcool, du sel, des tanins œnologiques ou de la quinine (pour la sensation amère), puis goûtez. Diluez de plus en plus les solutions pour identifier le moment à partir duquel vous ne percevez plus la saveur, c'est-à-dire votre seuil de perception.

Dans une deuxième phase, goûtez des solutions dans lesquelles vous aurez mélangé deux saveurs afin de les distinguer et d'étudier leurs interactions. Par exemple, l'acidité renforce la sensation tannique, le sucré gomme l'amertume. Enfin, ajoutez dans un vin ordinaire les mêmes solutions. Tous les exercices sont possibles, depuis l'ajout d'acide, de sucre, de glycérol, d'arômes artificiels ou de vinaigre pour apprendre à reconnaître l'acidité volatile.

Des vins que tout oppose

Commencez par comparer des vins très différents : un vin très acide, comme un jurançon sec (Sud-Ouest) et un vin peu acide comme une clairette-du-languedoc. Vous vous constituerez ainsi une échelle de référence. Pour vous sensibiliser aux tanins, opposez un madiran à un beaujolais : vous saisirez la différence immédiatement.

Sur les traces du cépage

La dégustation de vins de cépage vous aidera à mémoriser les caractéristiques variétales. Affinez vos sens en goûtant des vins issus du même cépage mais cultivés sur des sols différents (sauvignon dans les vignobles du Centre) ou sous des climats opposés (chardonnay à Chablis et en Languedoc). Il ne vous reste plus qu'à vous plonger dans les diverses appellations d'origine en essayant de choisir les vins les plus typiques, exempts de boisé si possible. Progressivement, vous enrichirez et exercerez votre mémoire.

Dénicheur d'arômes

Fugace, votre mémoire olfactive mérite d'être entretenue en portant une attention de tous les instants à votre environnement. Hélas, notre monde est devenu plutôt inodore... Ne laissez passer aucune occasion : entrez dans les jardins, chez le fleuriste, le marchand de primeurs, le boucher, le menuisier. Promenez-vous en forêt, dans les champs... Sentez et mémorisez. Des coffrets d'arômes existent pour vous entraîner, mais rien ne remplace la nature, car à trop sentir des molécules de synthèse vous risquez de perdre contact avec la réalité et de n'avoir pour référence que des arômes artificiels. Si vous aimez les parfums, rien ne vous empêche d'humer régulièrement les flacons des parfumeries en essayant de les reconnaître sans regarder les étiquettes.

« I am a poor lonesome... »

Ne soyez pas « un pauvre dégustateur solitaire »... Apprendre en groupe permet non seulement d'évaluer ses progrès ou ses insuffisances en se comparant aux autres, mais aussi de faire des exercices ludiques qui se terminent souvent par une dégustation conviviale. Les clubs de dégustation rassemblent les amateurs, convient des conférenciers, des producteurs et proposent également de grouper les achat des vins.

Comment et où acheter ?
p. 144

À l'aveugle, mais en toute connaissance

Vous ne pouvez reconnaître que ce que vous connaissez. La reconnaissance d'un vin à l'aveugle (sans rien savoir de son origine) est un exercice à haut risque pour la réputation d'un spécialiste. Seuls de très rares dégustateurs expérimentés et doués d'une mémoire exceptionnelle y parviennent.

Si vous souhaitez vous y confronter lors d'une dégustation entre amis, soyez astucieux et fin limier : vous êtes passé par la cuisine où votre hôte a peut être laissé traîner le bouchon, vous connaissez ses goûts et sa cave, son sens de la provocation (est-il un amateur de vins classiques ou un découvreur de bouteilles insolites ?), vous avez entendu parler de son dernier voyage dans le vignoble...

Carnet de notes

Dans votre livre de cave ou un carnet distinct, consignez les résultats de vos dégustations. Les professionnels disposent de fiches préétablies, plus ou moins détaillées, qui leur servent de fil conducteur : ils y notent leurs impressions après examens visuel, olfactif, gustatif, font la synthèse en dégageant l'harmonie générale, puis notent les vins de façon à établir une hiérarchie qualitative. Vous pouvez suivre leur exemple et y ajouter vos commentaires personnels sur les accords gourmands, ainsi que le nom des amis avec lesquels vous vous êtes exercé.

[74] Comment allier les mets et les vins ?

Choisir d'abord le plat, puis le vin ? Ou bien le vin, puis le plat ? La première démarche est traditionnelle, la seconde vous permet de marier plus précisément les saveurs. En matière d'accord gourmand, c'est vous le chef... à condition de garder en mémoire quelques principes simples.

Dis-moi quel est le plat, je te dirai quel est le vin

C'est l'usage dans la restauration comme chez les particuliers : après avoir établi le menu, le sommelier ou le maître de maison essaie d'associer un vin à chaque plat. Un casse-tête parfois... Vous ne disposez pas toujours dans votre cave du vin adéquat : il vous faut trouver non seulement celui dont le profil type s'accorde avec le mets, mais aussi le bon millésime parvenu à son apogée. Faut-il d'ailleurs que vous sachiez quel vin s'accorde avec tel ou tel accommodement (sauce, épices, *etc.*).

Bien entendu, vous pouvez vous cantonner aux accords classiques proposés dans les ouvrages de gastronomie ou aux accords régionaux, mais vous passez à côté de découvertes. Sans compter que la cuisine contemporaine aime jouer des contrastes de saveurs, ce qui ne vous facilite pas la tâche. Faut-il trouver un vin qui s'allie avec le côté droit ou le côté gauche de l'assiette ? À vous de décider.

Dis-moi quel est le vin, je te dirai quel est le plat

C'est la démarche la plus logique. En effet, si vous connaissez le vin que vous allez servir, vous pouvez préparer un plat qui s'y mariera harmonieusement, en ajoutant des ingrédients qui favorisent cette alliance : par exemple, une pointe d'ail fait ressortir les arômes de truffe d'un vieux cahors ou d'un pomerol. Vous imaginerez également une progression des vins au cours du repas, du plus délicat au plus puissant : la succession des plats suivra tout naturellement la même tendance. Et vous trouverez enfin l'occasion de déboucher les bouteilles qui vous semblent parvenues à leur apogée. Vous qui – heureux homme – possédez un richebourg 1990 devez penser à le boire aujourd'hui, mais vous attendrez l'époque du gibier. Dans tous les cas, ce sont les mets les plus simples, élaborés avec des produits de qualité qui flattent le mieux les grandes bouteilles.

Le vin unique

Un faible nombre de convives, la difficulté de trouver l'accord parfait combiné au désir d'alléger les repas (à moins que ce ne soit la paresse) conduisent fréquemment à ne choisir qu'un seul vin, souvent un rosé ou un vin rouge léger, pour accompagner tout le repas. La mode des vins légers servis frais a aujourd'hui conquis la restauration qui simplifie ou s'affranchit ainsi du problème des accords gourmands.

Si vous optez pour cette solution d'un vin unique, réfléchissez bien avant de vous lancer : mieux vaut partir du vin et essayer de bâtir votre menu autour plutôt que d'imposer une même bouteille de l'entrée au dessert sans vous soucier des conséquences sur son goût. Vous risquez les déconvenues, par exemple, avec une vinaigrette, des asperges, particulièrement difficiles à marier, ou des desserts trop sucrés. Les menus établis autour d'un vin unique peuvent être variés et tout à fait alléchants. Inspirez-vous des suggestions proposées dans l'encadré ci-contre.

Pas de surcharge

Présentez les vins dans un ordre progressif, du moins riche au plus riche afin de ne pas saturer d'emblée le palais de vos invités. Il est ainsi difficile de commencer un repas avec un sauternes, pourtant compagnon idéal du foie gras. Une astuce consiste à servir un bouillon aromatique pour se laver la bouche et la préparer au vin rouge à venir. En règle générale, un vin rouge suit un vin blanc, un vin vieux suit un vin jeune, un vin tannique suit un vin léger, un vin rafraîchi précède un vin chambré.

La cuisine exotique

La cuisine exotique et la mode envahissante des plats sucrés-salés exige un sacrifice : quel vin va-t-on immoler sur cet accord à haut risque ? Un rosé glacé, un vin rouge tout aussi froid ? Cette solution fleurit dans tous les restaurants du genre.

La meilleure alliance réside dans le service de vins moelleux ou liquoreux – sauternes, jurançon, vins du Val de Loire –, mais cela n'allège pas le repas.

QUELQUES MENUS AUTOUR D'UN VIN UNIQUE

Autour d'un cru classé du Médoc (Bordelais)
Terrine de canard aux cerises
Agneau de lait rôti accompagné
   de champignons sauvages
Brie de Meaux
Fondant au chocolat

Autour d'un bourgueil (Touraine)
Assiette de charcuteries
Entrecôte à la moelle
   et sauce au vin
Tome de Savoie
Tarte aux fruits rouges

Autour d'un rosé de Provence
Filets de rougets poêlés,
   sauce bouillabaisse

Tian d'agneau et aubergines
Picodons à l'huile d'olive
   et aux aromates
Soupe de pêches de vignes

Autour d'un hermitage blanc (vallée du Rhône)
Écrevisses à la nage
Volaille de Bresse à la crème
Chaource
Glace à la vanille

Autour d'un champagne (assemblage blanc de noirs)
Saumon fumé
Turbot beurre blanc
Cancoillotte
Île flottante

N'hésitez pas à servir plusieurs vins au cours d'un repas. Vos convives sauront apprécier leur alliance avec vos plats.

[75] Que boire à l'apéritif ?

Bannissez tout apéritif – boissons anisées, eaux-de-vie, vermouths – qui pourrait encombrer les papilles et gêner la dégustation des vins servis avec les mets. En ouverture de repas, les vins aromatiques, vifs et légers, les effervescents, les vins moelleux et liquoreux ont toute leur place.

Grignotage gourmand

Sachez choisir les bons ingrédients à grignoter à l'apéritif. Cacahuètes, pistaches, noix de cajou empâtent la bouche et calent l'appétit, sans compter qu'ils apportent des calories... Petits gâteaux secs aromatisés artificiellement n'ont rien de réjouissant pour le palais. Nul besoin d'être un grand cuisinier ou de faire appel à un traiteur pour offrir de sympathiques amuse-gueules réalisés avec de bons produits : des olives, des toasts au foie gras, des crevettes grises, des morceaux de fromage à pâte pressée...

Les vins effervescents

Champagne ! Évidemment, quoi de plus accueillant qu'un vin effervescent pour réunir les amis autour de la table. Choisissez un blanc de blancs (issu du seul chardonnay), léger et aromatique. Le palais encore vierge de vos convives en saisira toutes les nuances. Si votre budget est limité, tournez-vous sans aucun complexe vers les crémants d'Alsace, de Bourgogne, de Loire, le saumur, la blanquette ou le crémant de Limoux, la clairette-de-die, le saint-péray, le seyssel ou le gaillac mousseux. De retour d'un voyage sur les routes du vin d'Europe, proposez un franciacorta ou un asti spumante d'Italie ou encore un cava de Catalogne.

Les vins moelleux et liquoreux

Servez des vins dont la teneur en sucres résiduels n'est pas trop importante (vous avez tout intérêt à les goûter auparavant, car l'étiquette ne vous fournira jamais cette information). En moelleux, ce sont les vouvray, montlouis, coteaux-du-layon, les gaillac doux, les rieslings *Spätlesen* allemands, les vendanges tardives d'Alsace. Si vous tenez à présenter un vin liquoreux, prévoyez une entrée avec laquelle la bouteille pourra être également servie, car son sucre envahit la bouche : sauternes, barsac, jurançon, quarts-de-chaume, bonnezeaux, sélections de grains nobles d'Alsace, *Trockenbeerenauslesen* allemands, vins de glace, recioto della Valpolicella, *etc.*

Les vins doux naturels et vins de liqueur

Il en va des vins doux comme des vins moelleux ou liquoreux : attention à la persistance de leur sucrosité au palais. Reste que les banyuls, maury, rivesaltes, rasteau, pineau-des-charentes, floc-de-gascogne, porto, madère, marsala et xérès ont naturellement leur place à l'apéritif. Vous pouvez les servir en toute tranquillité. Pensez aussi aux muscats dont la finesse aromatique sera appréciée.

Les vins blancs secs

Il est fréquent en Suisse de proposer un fendant (chasselas) pour ouvrir l'appétit. Rien ne vous empêche de servir un vin blanc sec léger qui tient compte de la progression des bouteilles pendant le repas. Ainsi si vous prévoyez un sancerre pour accompagner un brochet au beurre blanc, ouvrez donc une bouteille de muscadet ou de menetou-salon à l'apéritif. Elle constitue alors une parfaite mise en bouche sans nuire à la suite du repas.

[76] Que boire avec les entrées ?

Le vin servi en entrée donne le ton du menu. Pour ne pas surcharger le repas, il est parfois judicieux de conserver celui que vous avez proposé à l'apéritif. Privilégiez un vin léger et fruité.

Les soupes et potages

Le vin n'est pas absolument nécessaire, mais si vous servez un consommé au porto ou au madère, vous pouvez présenter le même vin. Gare, cependant, au vin qui suit ! Pour les soupes plus consistantes (avec des morceaux de viande comme la garbure) un vin rouge léger fait l'affaire : béarn, bourgueil, gamay de Savoie, pinot noir d'Alsace. Soupe de poisson ? Un vin blanc sec fruité s'accommode d'une soupe peu épicée, un rosé corsé d'une bouillabaisse.

Les œufs

Difficile de marier ce mets des plus classiques, car les œufs changent le goût du vin. Tentez un vin blanc léger avec des œufs mollets, un vin blanc plus corsé avec des œufs à la crème, un vin rouge léger avec des œufs en meurette, de la même origine que le vin de la sauce.

Les asperges

Mission quasi impossible…
L'asperge assassine le vin. Seuls les muscats secs (Alsace, Roussillon) ou un liquoreux léger y résistent.

Les hors-d'œuvre au poisson

Les vins blancs secs fruités accompagnent les terrines ou les salades de poisson. Sancerre, vins de Savoie, muscadet, sylvaner d'Alsace ou riesling, albariño de Galice ont suffisamment de nerf. Face aux poissons fumés le choix est délicat. Un vin blanc sec ample et gras leur résiste (bourgogne de la Côte de Beaune ou châteauneuf-du-pape), mais il risque d'en pâtir. Pour un combat plus équitable, servez un vin moelleux (gaillac ou coteaux-du-layon). Mais le meilleur accord réside dans un alcool blanc : gin, vodka ou aquavit.

Le plateau de charcuterie

Un vin blanc sec et vif contraste avec le gras d'un pâté ; un rosé allie son fruit au salé d'un jambon ou d'un saucisson. Beaujolais, côtes-du-jura rouge, pinot noir d'Alsace, bourgogne des Hautes-Côtes, vin rouge de la Loire ou du Poitou trouvent leur faire-valoir. Un buzet, un madiran ou un irouléguy sont de bons partenaires des jambons secs ou des magrets fumés régionaux.

Attention aux cornichons ou pickles qui gâchent la meilleure alliance.

Le foie gras

Un vin rouge tannique (médoc, saint-émilion, graves ou bien cahors, madiran, pécharmant) fond son astringence dans le gras du foie. Un vin liquoreux (sauternes, monbazillac, sélection de grains nobles d'Alsace, Beerenauslese allemand, tokay) confronte sa sucrosité à l'amertume du plat. Le meilleur choix ? Des vins liquoreux riches en acidité, tels le jurançon et le coteaux-du-layon, car leur liqueur s'équilibre avec l'amertume et leur nervosité avec le gras du foie.

Les salades

De l'eau ! À moins que la sauce n'ait été pensée pour le vin, avec de la crème, de la moutarde, peu de vinaigre ou de citron, de l'huile d'olive, des herbes aromatiques : un vin blanc sec et fruité ou un rosé vif trouvent alors leur place. Les salades de charcuteries ou de viande, à la lyonnaise, aiment un vin rouge léger : beaujolais, bordeaux jeune, vin rouge du Val de Loire.

[77] Que boire avec les produits de la mer ?

Il est de coutume de servir des vins blancs avec les poissons, fruits de mer et crustacés. Pourtant, certaines sauces s'accommodent de vins rosés ou de rouges légers. À vous d'imaginer des recettes originales et leurs accords avec les vins.

Les huîtres et fruits de mer

L'iode des huîtres et des coquillages éteint le fruité du vin. Si le goût de noisette des belons et leur faible teneur en iode se marient à la perfection avec un chablis, les autres huîtres demandent des vins vifs et fruités : muscadet et sauvignon de la Loire, jurançon sec, côtes-de-duras, languedoc-Picpoul-de-Pinet, alsace-riesling sec, vinho verde du Portugal, rias baixas de Galice. La traditionnelle saucisse qui accompagne les huîtres d'Arcachon incite certains Bordelais à présenter un vin rouge... Tout est affaire de goût.

Avec un plateau de fruits de mer, osez des vins blancs plus puissants, tels des côtes-du-rhône, languedoc, bourgogne ou même un champagne qui se marie avec le crabe ainsi qu'avec la langouste à la mayonnaise. Avec des coquillages cuits (mouclade), préférez un vin très sec. Toutefois, si des épices entrent dans la composition du plat (moules au curry), optez pour un rosé.

Les crustacés

Pour les crustacés froids servis avec une mayonnaise, reprenez les vins conseillées pour un plateau de fruits de mer. Avec des crustacés à la crème, choisissez un bourgogne, un condrieu, un côtes-de-provence, un languedoc, un gaillac. Les crustacés flambés servis avec une sauce épicée (à l'américaine) s'accordent mieux avec un vin blanc puissant comme un côtes-du-rhône, certains languedoc, un penedès, un chardonnay de Californie.

Les poissons grillés

Servez les poissons maigres avec des vins secs et fruités : riesling d'Alsace ou d'Allemagne (Spätlese trocken), chablis, graves, jurançon sec, sancerre, sauvignon de Nouvelle-Zélande, albariño de Galice, rueda, dézaley suisse, vins du Frioul ou de Collio. Les poissons gras demandent des vins plus amples, comme le condrieu, le bourgogne, le côtes-du-jura, le côtes-du-rhône, le languedoc, le côtes-du-roussillon, les chardonnays de Californie ou du Chili, le rioja et le penedès, le frascati ainsi que les vins de Sicile.

Si le poisson est frit, le vin doit alors être plus puissant – côtes-de-provence, palette, pinot gris d'Alsace, cassis, vin-de-savoie-Chignin-bergeron, navarra, francia-corta. Jouez les alliances citronnées et minérales avec un riesling.

Les poissons en sauce

Devant une sauce à la crème les grands vins blancs de garde sont tout à fait à leur aise : hermitage, corton-charlemagne, meursault ou puligny-montrachet, pinot gris d'Alsace, savennières, châteauneuf-du-pape, champagnes un peu âgés. Avec une sauce épicée un vin blanc corsé ou un rosé fruité fait l'affaire : cassis, côtes-de-provence, patrimonio, soave, rioja blanc, navarra rosé. Les sauces au vin rouge s'accompagnent du même vin : on ne conçoit pas une lamproie à la bordelaise sans un saint-émilion ou un graves. Pourtant, un merlot de Collio (Italie) ou du Tessin (Suisse) donne une note exotique à ce plat gascon. Une alliance qui sort de l'ordinaire.

[78] Que boire avec les viandes ?

En matière d'accords, chassez les idées reçues : vin blanc avec volaille et viande blanche, vin rouge avec viande rouge. Tout dépend de vos préparations, des épices et aromates utilisés, du mode de cuisson aussi.

La volaille

Distinguez les volailles à chair blanche (dinde, poulet) de celles à chair rouge (canard). Pour les premières, rôties, optez pour un vin blanc puissant et gras : côtes-du-rhône, pessac-léognan, bourgogne, pinot gris d'Alsace, châteauneuf-du-pape. Les vins blancs de Provence ou de Corse mettent en valeur la finesse de la chair. Pour les secondes, orientez votre choix vers un vin rouge : cahors, fronton, côtes-du-rhône, beaujolais, pinot noir d'Alsace, chinon ou bourgueil, chianti classico, bardolino, rioja joven, dão. Toutefois, quelques vins blancs comme le gewurztraminer ou le rioja se prêtent au mariage. Avec un magret grillé, servez un madiran, un médoc ou bien un rosé chaleureux comme le bandol.

Les volailles en sauce (crème) apprécient un vin gras et puissant comme un grand bourgogne de la Côte de Beaune, un hermitage, un cham-pagne corsé, un penedès. Si des truffes entrent dans la sauce, sortez vos vins âgés dont les arômes évoquent eux aussi le champignon : en blanc hermitage, jurançon sec ;

en rouge pomerol, cahors, merlot du Chili, du Tessin, de Californie, côte-rôtie, saint-joseph, shiraz australienne.

Si la volaille est cuite au vin – blanc ou rouge – servez le même vin que celui qui est entré dans la préparation. Quant à la pintade ou au pigeon, ils s'apparentent aux gibiers à plume. Pour choisir le vin, suivez les conseils donnés pour le gibier.

La viande blanche

Les vins proposés avec les volailles se marient également avec les viandes blanches. Toutefois, n'hésitez pas à prendre des vins un peu plus puissants. Le veau s'accorde avec des vins blancs corsés, gras et ample : bourgogne, sancerre, pessac-léognan, châteauneuf-du-pape, pinot banc d'Alsace, mâcon-villages. Les rosés conviennent aussi (rosé des Riceys ou marsannay). Quant aux vins rouges, choisissez-les légers et peu tanniques : beaujolais, cabernet franc du Val de Loire, bourgogne-côte chalonnaise, vin-de-savoie, bordeaux supérieur. Tenez compte de la préparation. Si le veau s'accompagne d'une sauce

tomate, un vin de la Méditerranée, un chianti, un valpollicela ou un rioja joven donneront une note latine, à moins que vous ne préfériez un pinot noir autrichien ou allemand. Vous pouvez même oser un champagne rosé.

Le porc, viande grasse, demande un vin vif qui fait contraste : blanc comme un jurançon sec ou un riesling alsacien ; rouge comme un gamay de Savoie ou un chianti classico. Si le porc fait partie d'un plat composé (cassoulet), choisissez un vin plus tannique : cahors, madiran ou corbières.

L'andouillette grillée appelle sans hésiter un vin blanc vif comme un chablis, un beaujolais léger comme un juliénas. Quant au délicat ris de veau, il lui faut un vin racé comme un puligny-montrachet, un savennières, un vouvray sec ou un hermitage blanc. Les rognons appellent des vins plus corsés : médoc, côte-de-nuits-villages, pomerol, barolo ou ribera del duero. Pour plus d'exotisme, recherchez une shiraz d'Australie ou un merlot d'Afrique du Sud, voire un malbec d'Argentine.

La viande rouge

Les protéines de la viande se marient aux tanins d'un vin rouge pour les fondre. Les viandes rouges grillées, saignantes, sont destinées à des vins rouges corsés et tanniques. Le choix est vaste : vins du Médoc (pauillac, saint-julien, margaux, saint-estèphe), saint-émilion et pomerol, bergerac, madiran, cahors, minervois ou corbières, bandol, ajaccio, vins de la Côte de Nuits comme gevrey-chambertin ou de la Côte de Beaune comme pommard, mondeuse de Savoie, ainsi que les rioja reserva, ribera del duero, toro, barolo, barbaresco, brunello di Montalcino, cabernets-sauvignons de Californie ou du Chili, merlots d'Afrique du Sud, du Liban. Réservez aux viandes rouges en sauce des vins plus généreux comme châteauneuf-du-pape, bandol, fitou, priorat, taurasi, zinfandel de Californie, shiraz d'Australie, malbec d'Argentine ou tannat d'Uruguay.

Le gibier

Des vins rouges identiques à ceux conseillés pour les viandes rouges lorsqu'il s'agit de gibier à plume, sauf la bécasse qui réclame des vins corsés. Pour le gibier à poil, les vins dits de chasse : châteauneuf-du-pape, corton, bandol, cahors, madiran, pomerol, patrimonio, cornas, hermitage, vieux barolo, rioja gran reserva, conca de barberá, vins rouges du Maroc, de Tunisie, du Liban.

Des petits champignons, quelques feuilles de laurier, des épices originales apportent aux plats de viande des saveurs complexes qui mettent en valeur celles du vin d'accompagnement.

[79] Que boire avec les fromages ?

Le plateau de fromages est bien difficile à associer avec des vins ; il faudrait ouvrir plusieurs bouteilles pour obtenir des mariages heureux. Mieux vaut adopter la conduite inverse, choisir un vin pour cet instant et proposer quelques fromages qui le flattent.

Les pâtes pressées cuites

(*Gruyère, emmental, comté, beaufort, parmigiano reggiano.*)
Ce sont les meilleurs amis des vins rouges : ils flattent leur fruité et leurs tanins. Pour autant n'oubliez pas les vins blancs : vins de la Côte de Beaune, chardonnay en vin de pays d'Oc, vin-de-savoie-Chignin-bergeron, fendant du Valais, vin du Frioul, rias baixas, sauvignon de Nouvelle-Zélande. Avec un parmesan affiné et vieilli, tournez-vous vers des vins de voile (château-chalon ou xérès amontillado).

Les pâtes pressées non cuites

(*Tome de Savoie, édam, gouda, mimolette, cantal, laguiole, reblochon, saint-nectaire, salers.*)
Ces fromages se marient avec des vins rouges jeunes, encore un peu rustiques : marcillac, mondeuse de Savoie, beaujolais, pinot noir d'Alsace, languedoc, gaillac. Des vins blancs comme la roussette de Savoie, le côtes-d'auvergne, le sancerre, le condrieu, le châteauneuf-du-pape, le côtes-de-provence se tirent d'affaire avec honneur.

Les pâtes molles fleuries

(*Brie, camembert, chaource.*)
Si le brie s'accommode de vins rouges corsées (médoc, pomerol, pommard), le camembert ne respecte ni les vins rouges ni les vins blancs ; seul un vin jaune peut lui tenir tête, mais il s'agit plus d'un combat que d'un mariage. Le chaource est éclectique : il appelle aussi bien des vins blancs vifs et minéraux (chablis ou alsace-riesling) que des vins blancs gras et corsés (hermitage ou corton).

Les pâtes molles à croûte lavée

(*Munster, pont-l'évêque, livarot, époisses, maroilles, mont-d'or.*)
Les vins rouges sont écrasés, avec durcissement de leurs tanins, les vins fins sont agressés et simplifiés. À la rigueur, opposez à ces fromages un vin rouge jeune et assez puissant, mais le mariage idéal réside dans les vins blancs. Alsace-gewurztraminer ou vouvray pour le munster, côtes-du-jura pour un pont-l'évêque, champagne pour un maroilles. Seul le mont-d'or peut s'allier avec un côte-de-nuits-villages plutôt jeune.

Les fromages bleus

(*Roquefort, bleu de Bresse, bleu de Gex, bleu d'Auvergne, fourme d'Ambert, stilton, gorgonzola.*)
Les vins blancs liquoreux offrent l'accord le plus subtil : sauternes, barsac, sainte-croix-du-mont, jurançon, monbazillac, bonnezeaux ou quarts-de-chaume font contraste ave le sel du fromage. Les vins doux naturels rouges (maury, banyuls) jouent leur partition ; le porto est traditionnellement associé au stilton britannique. Quant au gorgonzola, l'alliance régionale incite à déboucher une bouteille de vin santo ou de malvasia delle Lipari, mais vous pouvez faire exotique avec un *Eiswein* allemand ou un vin de glace du Québec. Les vins doux de muscat accompagnent le roquefort, associé à des grains de raisin frais. Aucun vin rouge ne résiste à la force aromatique du champignon du bleu, le *Penicillium*.

Les fromages de chèvre

(*Banon, picodon, crottin de Chavignol, cabécou, valencay, bûches de divers pays*.)

Uniquement du vin blanc, plutôt vif. Les vins rouges sont déstabilisés ; seuls quelques vins rosés peuvent tirer leur épingle de ce jeu cruel. Mariez ces fromages avec un sancerre, un chablis, un savennières, un jurançon sec. Si les fromages sont plus affinés, recherchez dans la vallée du Rhône des vins riches en cépages marsanne et roussanne (hermitage, par exemple), mais vous pouvez aller jusqu'au patrimonio corse auquel le cépage vermentino offre une belle expression.

Les fromages de brebis

(*Ardi gasna, ossau iraty, pérail.*)

Peu de vins rouges résistent. Choisissez un vin blanc corsé et généreux pour faire face à la force aromatique et à l'acidité du fromage. Les vins liquoreux plutôt vifs peuvent trouver emploi : coteaux-du-layon, jurançon, pacherenc-du-vic-bilh.

Tout un repas au fromage

Un repas ludique pour découvrir les mariages du vin avec les fromages. Proposez une sélection de fromages plus ou moins puissants avec trois vins différents. Cherchez avec vos amis les meilleures alliances, les contrastes ou les hiatus. Les vins blancs apparaissent souvent comme de meilleurs compagnons que les grands vins rouges.

Contrairement aux idées reçues, il n'est pas si facile de marier vins et fromages. Pensez aux vins blancs.

[80] Que boire avec les desserts ?

Les vins dits de dessert ne sont pas à leur aise, car il est difficile de marier du sucre et du sucre. Seuls les vins généreux, voire mutés, savent résister à la confrontation. Pensez également aux eaux-de-vie de vin ou de fruits, servies avec mesure.

Ne pas surcharger la fin d'un repas

Libre à vous de servir le même vin pour accompagner le fromage et le dessert. Terminez le repas par un sauternes ou un vieux jurançon en proposant des fromages persillés et un dessert à la vanille.

Les desserts aux fruits

Ce sont les desserts les plus faciles à marier avec les vins ; il est même possible de proposer un vin rouge à condition que la tarte ne soit pas trop sucrée. Avec les desserts aux fruits rouges, les vins doux naturels millésimés (maury, banyuls) ont le beau rôle.

Les desserts aux pruneaux apprécient un rasteau ou un rivesaltes ; des liquoreux comme le sauternes ou le monbazillac peuvent s'en trouver flattés. Les desserts aux pommes s'accordent avec un gaillac moelleux, un vouvray demi-sec, un alsace-pinot gris de vendanges tardives.

Pour une tarte Tatin, plus sucrée, préférez un jurançon ou un vin de paille du Jura, un tokay 5 puttonyos, un constantia d'Afrique du Sud.

Avec une tarte aux raisins, les vins doux de muscats sont parfaits, tout comme l'asti spumante d'Italie ou un moscatel d'Espagne.

Devant des fruits secs (gâteau aux noix), prenez un vin jaune du Jura, mais attention au contraste entre sucre et sécheresse du vin. Un xérès oloroso ou un marsala feront certainement mieux l'affaire. Avec une tarte au citron, rien de tel qu'un riesling Trockenbeerenauslese allemand.

Gâteaux briochés

Ce sont les amis des vins moelleux ou liquoreux. Au kouglof correspond un gewurztraminer sélection de grains nobles, un quarts-de-chaume ou un barsac. Au pastis landais, un jurançon, un gaillac moelleux, un vouvray, un vin doux de muscat.

Desserts au chocolat

Si certains amateurs trouvent quelques vertus au mariage avec des vins rouges (surtout avec le grenache d'un châteauneuf-du-pape ou d'un priorat qui possède une indéniable note de cacao), réservez-les cependant à des chocolats peu sucrés et noirs. Pour les desserts classiques (mousse au chocolat, forêt-noire, moelleux), pensez à un vin doux naturel ou à un vin de liqueur rouges et âgés : banyuls, maury, rasteau et porto tawny. Un vieil armagnac ou un vieux rhum sont matière à de passionnantes expériences.

Glaces et sorbets

Avec une glace à la vanille : un vin blanc moelleux (gaillac, vouvray, montlouis ou loupiac, tokay 3 puttonyos). Avec un sorbet : une eau-de-vie du même fruit que celui du dessert ou de l'eau fraîche...

Privé de champagne au dessert ?

Servir un champagne haut de gamme au dessert, c'est le rabaisser au rang de simple boisson pétillante. Les demi-secs peuvent toutefois s'allier avec des desserts peu sucrés et briochés, mais il vaut mieux réserver cette alliance à une collation plutôt qu'à une fin de repas où les papilles sont fatiguées. Le champagne peut aussi être débouché quelques heures après le repas, comme un « vin de conversation ».

INDEX

Les pays, régions, cépages et vins cités dans l'ouvrage font l'objet d'index distincts.

LES LIVRETS DU VIN
La petite collection des grands savoirs

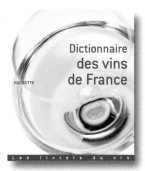

DICTIONNAIRE
DES VINS DE FRANCE
384 pages

GRANDS CÉPAGES
Pierre Galet
160 pages

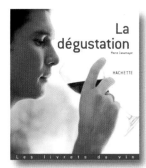

LA DÉGUSTATION
Pierre Casamayor
128 pages

ARÔMES DU VIN
Michaël Moisseeff
et Pierre Casamayor
160 pages

À BOIRE OU À GARDER
Antoine Lebègue
160 pages

LE VIN EN 80 QUESTIONS
Pierre Casamayor
176 pages

LES ACCORDS METS
ET VINS
Olivier Bompas
144 pages

L'ÉCOLE DES ALLIANCES
Pierre Casamayor
306 pages

L'ÉCOLE DE LA DÉGUSTATION
Pierre Casamayor
274 pages

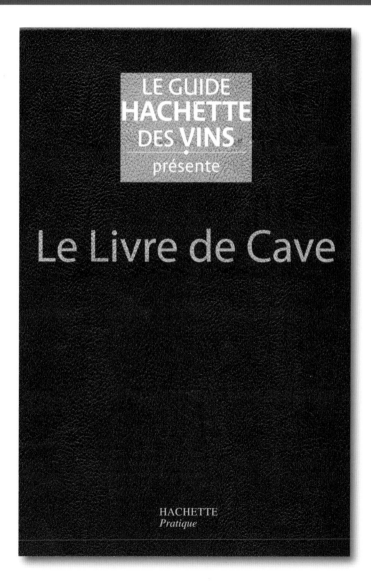

Un livre-outil complet pour bien gérer votre cave :

- des conseils pratiques issus de l'expertise du Guide Hachette des vins
- des fiches vierges à remplir
- un carnet de dégustation nomade.

Crédits photographiques

Les dessins sont de Pascal Garnier.

Couverture © Eising / Stockfood et p. 6 : D. Czap.

Hachette : 11 (haut), 59.
ITV France/A. Poulard : 60.
ITV France/Sicarex Beaujolais : 67
OPIE/R. Coutin : 41.
M. Walter : 11, 66 (bas), 79, 81, 136, 139, 141, 153.

SCOPE
• *J.-L. Barde* : 20 (gauche), 21, 22 (gauche), 23, 24, 27
37 (haut), 38, 39, 49 (n° 2), 50, 51, 53 (x 2), 56, 72,
86, 94, 98, 102, 104, 140, 146.
• *D. Czap* : 8.
• *J. Guillard* : 9, 10, 12, 15, 17, 22, 25, 32, 33, 37 (bas),
42, 43, 49 (n° 4, 5, 6, 7), 52, 54, 66 (haut), 69, 71, 76,
83 (bas), 84, 85, 87, 89, 96, 97, 99, 131, 138, 145.
• *M. Guillard* : 18, 20 (droite), 40 (x 2), 49 (n° 1),
58, 65, 69, 73, 83 (haut), 100.
• *N. Hautemanière* : 105.
• *F. Jalain* : 19.
• *Kactus* : 68, 70.
• *S. Matthews* : 16, 57, 61.
• *M. Plassart* : 49 (n° 3), 55, 63.
• *J.-L. Sayegh* : 78.
• *D. Taulin-Hommel* : 49 (n° 8).

RESPONSABLE D'ÉDITION
François Bachelot

ÉDITEUR
Stéphane Rosa

RÉALISATION
Chine, Florence Cailly

LECTURE-CORRECTION
Sylvie Hano

FABRICATION
Patricia Coulaud

GRAVURE
Reproscan, Italie

L'éditeur utilise des papiers composés de fibres
naturelles, renouvelables, recyclables et fabriquées
à partir de bois issus de forêts qui adoptent un système
d'aménagement durable.
L'éditeur attend également de ses fournisseurs de papier
qu'ils s'inscrivent dans une démarche de certification
environnementale reconnue.

Imprimé en Espagne par Gráficas Estella
Dépôt légal : août 2008
ISBN: 978-2-01-237507-9
23.51.7507.9 / 01